THOMSON REUTERS PROVIEW

¡ENHORABUENA!

USTED ACABA DE ADQUIRIR UNA OBRA QUE **YA INCLUYE
LA VERSIÓN ELECTRÓNICA.**
DESCÁRGUELA AHORA Y APROVÉCHESE DE TODAS LAS FUNCIONALIDADES

**Acceso interactivo a los mejores libros jurídicos
desde iPad, Android, Mac, Windows y
desde el navegador de internet**

FUNCIONALIDADES DE UN LIBRO ELECTRÓNICO EN **PROVIEW**

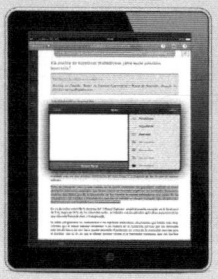

SELECCIONE Y DESTAQUE TEXTOS
Haga anotaciones y escoja los colores
para organizar sus notas y subrayados

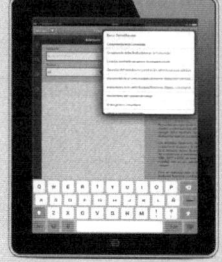

**USE EL TESAURO PARA
ENCONTRAR INFORMACIÓN**
Al comenzar a escribir un término,
aparecerán las distintas coincidencias
del índice del Tesauro relacionadas
con el término buscado

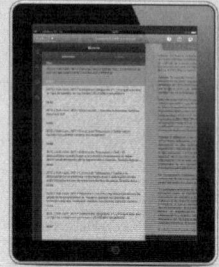

HISTÓRICO DE NAVEGACIÓN
Vuelva a las páginas por las
que ya ha navegado

ORDENAR
Ordene su biblioteca por: Título (orden
alfabético), Tipo (libros y revistas),
Editorial, Jurisdicción o área del
derecho, libros leídos recientemente
o los títulos propios

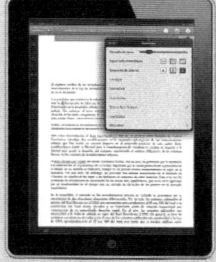

CONFIGURACIÓN Y PREFERENCIAS
Escoja la apariencia de sus libros y
revistas en ProView cambiando la
fuente del texto, el tamaño de los
caracteres, el espaciado entre líneas
o la relación de colores

MARCADORES DE PÁGINA
Cree un marcador de página en el
libro tocando en el icono de Marcador
de página situado en el extremo
superior derecho de la página

BÚSQUEDA EN LA BIBLIOTECA
Busque en todos sus libros y
obtenga resultados con los libros y
revistas donde los términos fueron
encontrados y las veces que
aparecen en cada obra

**IMPORTACIÓN DE ANOTACIONES
A UNA NUEVA EDICIÓN**
Transfiera todas sus anotaciones y
marcadores de manera automática
a través de esta funcionalidad

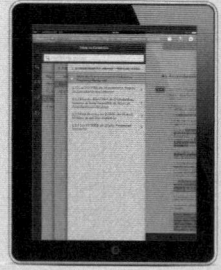

SUMARIO NAVEGABLE
Sumario con accesos directos
al contenido

Estimado cliente,

Para acceder a la versión electrónica de este libro, por favor, acceda a **http://onepass.aranzadi.es**

Tras acceder a la página citada, introduzca su dirección de correo electrónico (*) y el código que encontrará en el interior de la cubierta del libro. A continuación pulse enviar.

Si se ha registrado anteriormente en **"One Pass"** (**), en la siguiente pantalla se le pedirá que introduzca la contraseña que usa para acceder a la aplicación Thomson Reuters ProView™. Finalmente, le aparecerá un mensaje de confirmación y recibirá un correo electrónico confirmando la disponibilidad de la obra en su biblioteca.

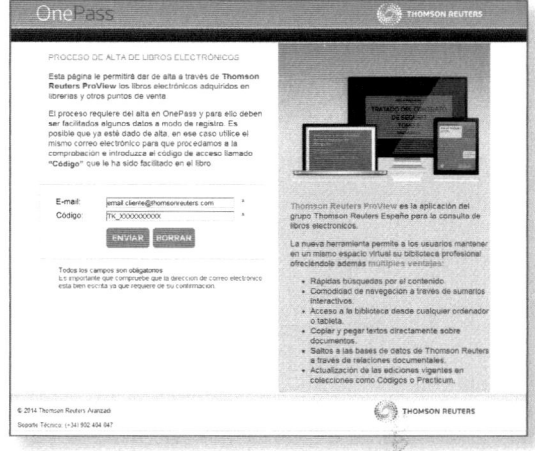

Si es la primera vez que se registra en **"One Pass"** (**), deberá cumplimentar los datos que aparecen en la siguiente imagen para completar el registro y poder acceder a su libro electrónico.

- Los campos **"Nombre de usuario"** y **"Contraseña"** son los datos que utilizará para acceder a las obras que tiene disponibles en Thomson Reuters Proview™ una vez descargada la aplicación, explicado al final de esta hoja.

Cómo acceder a Thomson Reuters Proview™:

- **iPad:** Acceda a AppStore y busque la aplicación **"ProView"** y descárguela en su dispositivo.
- **Android:** acceda a Google Play y busque la aplicación **"ProView"** y descárguela en su dispositivo.
- **Navegador:** acceda a **www.proview.thomsonreuters.com**
- **Aplicación para ordenador:** acceda a **http://thomsonreuters.com/site/proview/download-proview** y en la parte inferior dispondrá de los enlaces necesarios para descargarse la aplicación de escritorio para ordenadores Windows y Mac.

(*) Si ya se ha registrado en **Proview™** o cualquier otro producto de Thomson Reuters (a través de One Pass), deberá introducir el mismo correo electrónico que utilizó la primera vez.

(**) **One Pass:** Sistema de clave común para acceder a Thomson Reuters Proview™ o cualquier otro producto de Thomson Reuters.

COMPATIBILIDAD ENTRE PRESTACIONES SOCIALES POR DISCAPACIDAD Y EMPLEO

UN MEDIO PARA LOGRAR LA INSERCIÓN LABORAL DE LAS PERSONAS CON ENFERMEDAD MENTAL GRAVE

CARLOS DE FUENTES GARCÍA-ROMERO DE TEJADA

Doctor en Derecho. Profesor de Derecho del Trabajo y de la Seguridad Social
Universidad Complutense de Madrid
Director Centro Especial de Empleo Manantial Documenta
Fundación Manantial

COMPATIBILIDAD ENTRE PRESTACIONES SOCIALES POR DISCAPACIDAD Y EMPLEO

UN MEDIO PARA LOGRAR LA INSERCIÓN LABORAL DE LAS PERSONAS CON ENFERMEDAD MENTAL GRAVE

Prólogo
Mª YOLANDA SÁNCHEZ-URÁN AZAÑA

THOMSON REUTERS
ARANZADI

Primera edición, septiembre 2016

THOMSON REUTERS PROVIEW™ eBOOKS
Incluye versión en digital

Editorial Aranzadi, SA
Camino de Galar, 15
31190 Cizur Menor (Navarra)
ISBN: 978-84-9135-416-1
DL NA 1729-2016
Printed in Spain. Impreso en España
Fotocomposición: Editorial Aranzadi, SA
Impresión: Rodona Industria Gráfica, SL
Polígono Agustinos, Calle A, Nave D-11
31013 - Pamplona

A Onica, la mujer de mi vida, pues sin su permanente apoyo este trabajo no hubiese visto la luz y a nuestros hijos Alba, Celia y Sofiam.

A mi madre y a la memoria de mi padre, eternamente agradecido por la educación recibida.

Propongo un programa nacional de salud mental para contribuir a que en adelante se atribuya al cuidado del enfermo mental una nueva importancia y se lo encare desde un nuevo enfoque. Los gobiernos de todos los niveles federal, estatal y local, las fundaciones privadas y los ciudadanos deben por igual hacer frente a sus responsabilidades en este campo.

(Jonh F. Kennedy, declaración ante el Congreso de los EE.UU., 05/02/1963).

Índice General

Abreviaturas, acrónimos y regla de estilo utilizada

AA.VV.	Autores varios.
Art.	Artículo.
BOE	Boletín Oficial del Estado.
CC.AA.	Comunidades Autónomas.
CE	Constitución Española de 1978.
CEE	Centro Especial de Empleo.
CERMI	Comité Español de Representantes de Personas con discapacidad.
CIE o CIE-10	Décima versión de la Clasificación Internacional de Enfermedades sistema recomendado por la OMS.
CIF	Clasificación Internacional del Funcionamiento, de la discapacidad y de la Salud, aprobada por la 54.ª Asamblea General de la OMS en mayo de 2001.
Cit.	Obra citada anteriormente.
Convención	Convención de la ONU sobre Derechos de las Personas con discapacidad. Aprobada por la Asamblea de la ONU el 13 de diciembre de 2006, junto con su Protocolo Facultativo, ratificado por España mediante Instrumento de ratificación publicado en el BOE de 21 de abril de 2008.
Coord.	Coordinador.
CRL	Centro de Rehabilitación Laboral para PCDM. Servicio Social público especializado existente en varias CC.AA. con diferentes denominaciones.
D	Discapacidad.
DA	Disposición Adicional.
Dir.	Director.
DO o DOUE	Diario Oficial de la Unión Europea.
DSM o DSM-IV-TR	Asociación Americana de Psiquiatría. Manual Diagnóstico y Estadístico de los Trastornos Mentales (Diagnostic and Statistical Manual of Mental Disorders). En la actualidad, se encuentra en la cuarta edición revisada.

Ed.	Editores.
Estrategia	Estrategia Española de discapacidad 2012-2020, aprobada por el Consejo de Ministros de 14/10/2011, a propuesta de la Ministra de Sanidad, Política Social e Igualdad. Accesible en: *http://sid.usal. es/libros/Discapacidad/26112/8-4-1/estrategia-espanola-sobre-Discapa-cidad-2012-2020.aspx.*
ET	Texto Refundido de la Ley del Estatuto de los Trabajadores, aprobado por Real Decreto Legislativo 2/2015, de 23 de octubre (BOE del 24).
Et al.	Y otros, del latín *et alii.*
FOGASA	Fondo de Garantía Salarial.
FONAS	Fondo Nacional de Asistencia Social, extinto ya.
INSERSO	Instituto Nacional de Servicios Sociales, Entidad Gestora de la Seguridad Social creada por el Real Decreto-Ley 36/1978, de 16 de noviembre, sobre Gestión institucional de la Seguridad Social, «para la gestión de los servicios complementarios de las prestaciones de la Seguridad Social». Actual IMSERSO.
INSHT	Instituto Nacional de Seguridad e Higiene en el Trabajo.
IPA	Incapacidad Permanente Absoluta.
IPREM	Indicador Público de Renta de Efectos Múltiples.
IPT	Incapacidad Permanente Total.
IT	Incapacidad Temporal.
LGD	Real Decreto Legislativo 1/2013, de 29 de noviembre, por el que se aprueba el Texto Refundido de la Ley General de derechos de las personas con discapacidad y de su inclusión social (BOE de 3 de diciembre).
LGSS	Ley General de la Seguridad Social, regulada por el Texto Refundido 8/2015, de 30 de octubre (BOE del 31).
LIONDAU	Ley 51/2003, de 2 de diciembre de igualdad de oportunidades, no discriminación y accesibilidad universal de las PCD, refundida en la actual LGD.
LISMI	Ley 13/1982, de 7 de abril, de integración social de personas con discapacidad (BOE de 30 de abril).
LPGE	Ley de Presupuestos Generales del Estado.
LPNC	Ley de Prestaciones No Contributivas de la Seguridad Social, de 20 de diciembre de 1990.
OIT	Organización Internacional del Trabajo.
OMS	Organización Mundial de la Salud.
ONU	Organización de Naciones Unidas.
P.	Página.

PCD	Persona con discapacidad.
PCDM	Persona con discapacidad Mental.
PHC	Prestación por Hijo a Cargo.
PNCi	Prestación No Contributiva de Invalidez.
PTMG	Persona con Trastorno Mental Grave.
RAE	Real Academia de la Lengua.
RAI	Renta Activa de Inserción.
RCUD	Recurso de Casación para la Unificación de Doctrina.
RD	Real Decreto.
RDL	Real Decreto-Ley.
RDPD	Real Decreto 1971/1999, de 23 de diciembre, de procedimiento para el reconocimiento, declaración y calificación del grado de discapacidad.
RPNC	Real Decreto 357/1991, de 15 de marzo, por el que se desarrollan en materia de pensiones no contributivas la LPNC.
SEREM	Servicio Social de Rehabilitación y Recuperación de Minusválidos Físicos y Psíquicos (se extingue en 1978 cuando sus funciones pasan al INSERSO).
SMI	Salario Mínimo Interprofesional.
SOVI	Seguro Obligatorio de Vejez e Invalidez, antecedente de la actual Pensión pública de Jubilación y de la de Incapacidad.
STC	Sentencia del Tribunal Constitucional.
STJUE	Sentencia del Tribunal de Justicia de la Unión Europea.
STS	Sentencia Tribunal Supremo.
STSJ	Sentencia Tribunal Superior de Justicia.
TC	Tribunal Constitucional.
TCDM	Trabajador con discapacidad Mental.
TFUE	Tratado de Funcionamiento de la Unión Europea, Versión consolidada publicada por Diario Oficial de la Unión Europea de 30 de marzo de 2010.
TUE	Tratado Unión Europea.
UE	Unión Europea.
Vid.	Del latín *videre*, que significa ver.

Regla de estilo: en este trabajo se ha utilizado el género masculino como neutro inclusivo.

Prólogo

El significado jurídico-formal y político-jurídico de un grupo de preceptos ubicados en el Título I, Capítulo III de la Constitución, dedicado a los «principios rectores de la política social y económica», entre ellos, los artículos 39, 41, 43, 49 y 50, es coincidente. Forman los citados preceptos un bloque unitario con una finalidad común, que permite afirmar que más que normas de mero valor programático o metajurídico, sin efectos vinculantes jurídicos (interpretación jurídico-formal), son normas que, de acuerdo con su interpretación sistemática, intra-constitucional (artículos 9.2, 14 y 53, sustancialmente) y extra-constitucional (Derecho Comunitario originario y Derivado y Pactos y Normas Internacionales), expresan auténticos principios de actuación de los poderes públicos y, en consecuencia, concretan deberes que éstos han de asumir para cumplir uno de los fines básicos del Estado español en su configuración constitucional como Estado «Social» de Derecho (art.1º.1 CE), que propugna como valores superiores de su ordenamiento jurídico «la libertad, la justicia, la igualdad y el pluralismo político».

El Estado Social, frente al Estado Liberal, sustentado en el valor de la libertad y eminentemente garantizador de los derechos individuales de los ciudadanos, se erige en Estado prestacional, Estado asistencial o Estado distribuidor. Caracterización que en nuestra CE adopta un matiz más actual que el originariamente afirmado por la doctrina puesto que los poderes públicos, según se deduce del contenido de los denominados «principios rectores de la política social y económica», no sólo han de realizar la «procura existencial de sus ciudadanos» (en la definición de Forsthoff) sino también acometer actuaciones sectoriales o más limitadas respecto de o bien todos los ciudadanos o bien colectivos específicos de los mismos que, por determinadas circunstancias o situaciones personales, se encuentran en especiales situaciones de necesidad que demandan el amparo o tutela de los poderes públicos.

Este mandato constitucional se concreta en varios de los preceptos que se incluyen entre los principios rectores de la política social y económica y que delimitan desde una perspectiva objetiva (estados de necesidad) y una vertiente subjetiva (colectivos desfavorecidos) a quienes han de ir dirigidas las acciones de los poderes públicos para cubrir las «necesidades sociales», en especial en el ámbito del empleo, de la ocupación y de la protección social.

Por un lado, los principios rectores de la política social y económica identifican las necesidades que requieren de protección (recuérdese la mención en el texto constitucional a las necesidades familiares, desempleo, pérdida de la salud, problemas de la juventud, discapacidad, vejez…).

Por otro, si bien entre los colectivos especialmente desfavorecidos, aunque la CE no establece un modelo conjunto de protección de esos colectivos ni se incluyen en un título o apartado concreto del texto constitucional, es evidente que pueden listarse los que, desde una protección genérica o bien desde una protección específica son tratados constitucionalmente como sujetos que, debido a diferentes parámetros o criterios, son vulnerables socialmente y corren el riesgo de padecer exclusión social y, en consecuencia, requieren de la actuación de los poderes públicos tendente a lograr su integración. Medidas que, en tanto que factores de integración social, han de estar orientadas principalmente hacia el empleo y la protección social, porque ambos, empleo y protección social, representan unos de los recursos fundamentales de los ciudadanos y reflejan con exactitud los valores dominantes en un Estado Social. No sólo porque la pérdida, ausencia o precariedad en el empleo y las deficiencias de la protección social impiden que el ciudadano obtenga los recursos necesarios para afrontar las necesidades vitales básicas (vivienda, educación…), sino también porque cuando el ciudadano padece esas deficiencias está quedando al margen de unos de los derechos-prestación propios de un Estado Social (el derecho al trabajo y el derecho a la protección social) y de los valores que lo inspiran, dignidad humana, igualdad y solidaridad personal.

Entre esos colectivos se encuentran las personas con discapacidad (art.49), contempladas en el texto constitucional como sujetos que requieren de especial atención (protección) de los poderes públicos en todos los ámbitos, médicos, rehabilitadores, económicos, formativos, de empleo…. con atención integral o global especializada, en un contexto también amplio que integra la política de inclusión social y económica, tal y como se acoge hoy en la Unión Europea, entre otras a través de la Directiva 2000/78, que asumió el compromiso de los Estados Miembros de considerar que el derecho a la no discriminación, entre otras razones por discapacidad, es uno de los instrumentos básicos para conseguir la inclusión social y económica, la integración real y efectiva en la sociedad, a través del empleo y ocupación.

En definitiva, un colectivo, el de las personas con discapacidad, que requieren de actuaciones de los poderes públicos con el objetivo de lograr su participación activa en el ámbito social y económico.

El mandato constitucional de cobertura de «necesidades sociales» enraíza con los que son principios o valores informadores de la actuación del Estado Social. Entre ellos, y fundamental el de la *solidaridad social*, no expresamente contemplado en la CE, que el Tribunal Constitucional (TC), entre otras en las SSTC 62/1983 y 134/1987, considera es un instrumento o mecanismo necesario e indispensable para conseguir otros valores sí formalmente constitucionalizados, el de la dignidad de la persona (art.10.1) y el de la igualdad real o material o equidad de los ciudadanos (art.9.2). Son, por tanto, estos preceptos constitucionales instrumentos o vías para la consecución de esos valores, alguno de ellos traducidos en derechos inviolables de la persona, que exigen, como manifestación básica del Estado Social una redistribución de recursos económicos del Estado (interpersonal e intergeneracional), una distribución o sacrificio de intereses de los más favorecidos frente a los más desamparados y una distribución de responsabilidades cuyo fundamento es el valor de la igualdad de todos los ciudadanos en el goce de su dignidad. La solidaridad fue el pilar que sustentó la protección social, en particular la Seguridad Social en su origen, lo reafirma la CE (que define el Estado Social) y es el valor que permite afrontar el presente y reto del futuro de la protección social pública para lograr que la cobertura de las necesidades sociales a través del Sistema de Protección Social sea adecuada y equilibrada atendiendo a los factores, endógenos y exógenos, que condicionan el desarrollo legal del Sistema. Lo que requerirá de una visión más amplia e integradora de lo que hoy y para el futuro se propugna como modernización o adaptación del sistema de protección social, adoptando las medidas que permitan asegurar la adecuación social, la viabilidad financiera (lo que hoy se denomina sostenibilidad económica) y la capacidad de adaptación a la evolución de las necesidades y a la complejidad estructural del propio sistema, en especial, en época de crisis, en lo que concierne a la jubilación y al desempleo.

Este mandato constitucional se concreta en deberes positivos de los poderes públicos, a cualquier nivel, en especial del Estado y de las Comunidades Autónomas (atendiendo al reparto competencial previsto, en algún caso no de forma clara e indubitada, en el texto constitucional y en particular, y en primer lugar, a quien ejerce la potestad legislativa) de hacer o de dar bienes o servicios económicamente evaluables y, pese a la objeción que en principio se pudiera oponer a la construcción como derechos de los que son objetivos sociales constitucionales, la utilización por nuestra norma fundamental del término «derecho» en varios de los preceptos citados ha incidido en su configuración doctrinal como «derechos sociales» o derechos de contenido social, en su doble dimensión objetiva y subjetiva, esto es como conjunto de normas a través de las cuales el Estado lleva a cabo su función equilibradora y moderadora de las desigualdades sociales y como facultades de los individuos y de los grupos a participar en los beneficios de la vida social (Pérez Luño). En efecto, surgidos como exigencias objetivas de la idea del Estado Social, nuestro TC admitió tempranamente el valor normativo de los principios rectores de la política social y económica, proclamando que encarnan normas objetivas de eficacia directa e inmediata, en un doble sentido: como principios de actuación de los poderes públicos que, en otro caso, pudiera resultar lesiva desde la perspectiva de otros derechos y como pautas interpretativas de disposiciones legales o constitucionales, permitiendo soluciones más acordes con el modelo de Estado Social (SSTC, entre otras, 19/1982, 65/1987, 14/1992). Y ello aunque requieran de una concreción material legal para su efectividad jurídica mayor que la que precisa la mayoría de los derechos civiles, es decir, una configuración legal y una dotación prestacional para sustentar una acción por sí mismos. De ahí también el término «derechos-prestación» o derechos prestacionales o «derechos de segunda generación» que los define para expresar su faceta de deberes sociales básicos, asumidos históricamente por el poder público frente a los ciudadanos, mucho antes de la entrada en vigor de la CE, pero que han obtenido con ésta su refrendo jurídico-formal y jurídico-material, que limita, en mayor o menor medida, el contenido legal de los mismos y la posible actuación discrecional de la Administración en el cumplimiento de ese deber constitucional. Si los principios del Capítulo II de nuestra CE son auténticas normas constitucionales, una cosa es que requieran de un desarrollo legislativo, admitan una amplia configuración legal de su contenido y necesiten de cuantiosos recursos financieros para su práctica efectiva y otra, bien distinta, que no gocen de un núcleo esencial del que deriven pretensiones subjetivas de los ciudadanos jurídicamente reconocibles, fundadas en su consideración o configuración constitucional como mecanismos para lograr la igualdad real o material o igualdad de oportunidades de los ciudadanos que requieren de una actuación positiva de prestación o asistencia de promoción de su eficacia y remoción de los obstáculos que dificulten su plenitud (Falcón Tella). Si se quiere, ésta, la atención y cuidado de las necesidades social o la atención y cuidado de los colectivos especialmente desfavorecidos, social o económicamente, se despliega en diferentes niveles de obligaciones estatales, básicamente, de protección, de garantía y de promoción (Abramovich y Courtis).

Si bien estos derechos-prestación o derechos de configuración legal requieren de la determinación y concreción de su alcance y contenido, la CE no ofrece un «cheque en blanco» en esta materia; no es, en definitiva, neutra. Así en el ámbito de la «protección social», es evidente que la CE establece directrices respecto de los deberes que los poderes públicos han de asumir en este ámbito para proteger, garantizar y promocionar a los ciudadanos en general y a particulares o específicos colectivos, a las personas o individuos que los componen, y conseguir su integración efectiva y real en el plano social y económico.

La integración social a través de prestaciones económicas y técnicas suficientes para subvenir las situaciones de necesidad o para remover los obstáculos que impiden la igualdad real y efectiva requiere tener en cuenta los que pueden considerarse límites infranqueables para el legislador y para las Administraciones Públicas en la configuración del derecho social; entre ellos, i) el marco general de igualdad y no discriminación, atendiendo claramente a los diferentes factores de diferenciación, entre ellos la discapacidad. Marco general que requiere de la actuación legislativa para fijar, también en el ámbito específico de la protección social, los rasgos o elementos que permitan una aplicación efectiva del principio constitucional; ii) la garantía constitucional de una institución jurídica, la Seguridad Social, como mecanismo ideado en nuestro ordenamiento jurídico para proteger las necesidades sociales. El Sistema de Seguridad Social en cuanto complejo organizativo central y básico en la consecución de la protección social, conforme al art.41 CE, ha sido definido así por el TC, que adopta una posición ciertamente restrictiva sobre el alcance y el contenido de la garantía constitucional de esta institución en tanto que núcleo o reducto indisponible por el legislador ordinario; iii) el reparto competencial Estado-Comunidades Autónomas, en torno al principio de solidaridad interterritorial, que determinará, entre otras, las diferencias que cabe apreciar bajo el término o expresión «Protección Social» en lo que refiere a su núcleo fundamental, la Seguridad Social, y otros mecanismos, tales como la Asistencia Social, respecto de la que la CE expresa que las Comunidades Autónomas podrán asumir competencia, tal y como así ha quedado explicitado en los diferentes Estatutos de Autonomía y las correspondientes leyes autonómicas que refieren a la Asistencia Social y/o a los Servicios Sociales; y iv) la garantía o tutela de situaciones específicas en relación al contexto social y económico no sólo del momento en que se promulgó la Constitución sino también de las que la evolución social y económica permite identificar como nuevos o actualizados riesgos sociales, y, en este caso segundo, con especial atención al nivel de protección, adecuación y sostenibilidad, ya sea en momentos de coyuntura favorable o, por el contrario, en otros de fuerte crisis económica. Desde esta perspectiva, por tanto, habrá que interpretar el significado de la cita en el texto constitucional de colectivos con especiales necesidades de aquéllos otros que no prioritarios entonces ahora requieren de la protección del Estado Social para lograr su efectiva integración sociolaboral. Lo que quiere decir que la presencia de preceptos constitucionales específicos (por ejemplo, arts. 49 y 50) no puede entenderse en el sentido de que sólo a estos colectivos sea a los que haya que garantizar prestaciones sociales, económicas o técnicas, protección integral, sino que son colectivos respecto de los que no cabe duda que antes y ahora padecen una situación de necesidad (en un caso derivada de su situación de discapacidad y en el otro de su envejecimiento) y requieren la tutela de los poderes públicos al servicio de los fines generales que para estos ciudadanos ha de cumplir, como mínimo, el Estado Social. El resto de colectivos que padecen o pueden padecer una situación de necesidad encuentran en la CE el respaldo jurídico en el marco de los principios y valores del Estado Social y, en particular, la igualdad real y material en la que se fundamenta la prohibición de discriminación en relación a las causas que enumera la CE y en relación a aquéllas otras que se han incorporado por en nuestro Ordenamiento jurídico conforme a lo dispuesto en el Tratado de Funcionamiento de la Unión Europea, la Carta de Derechos Fundamentales de los Trabajadores y las Directivas comunitarias así como por la ratificación de los Convenios de la OIT.

Este es el marco en el que cabe, a nuestro juicio, insertar el estudio del Prof. De Fuentes, porque el objetivo del mismo es analizar las prestaciones sociales previstas por los poderes públicos para un colectivo determinado, el de personas con discapacidad mental, desde la perspectiva de su configuración como medios o instrumentos para su inserción social a través del empleo, en particular, del empleo y de la ocupación por cuenta ajena.

El estudio está impregnado de sensibilidad, la de quien lleva años trabajando para que el colectivo logre la inclusión en nuestra Sociedad, lo que, por otro lado, lo dota de realismo y conocimiento exhaustivo, a partir del que formular reflexiones muy medidas en la propuesta de acciones a las que, a juicio del autor, debe orientarse la política pública y las normas jurídicas que promuevan los poderes públicos para contribuir a la consecución de ese fin social y económico. Sin caer en una sensiblería o sentimiento que pudiera empañar el estudio alejándose de la objetividad y razonamiento jurídico de las propuestas que al respecto realiza el autor. Todo lo contrario, el Prof. De Fuentes se enfrenta a la realidad, la discapacidad por razón de enfermedad mental, ofreciendo un análisis riguroso del concepto y de su significado, optando por una terminología, discapacidad Mental, y dedicando el Capítulo Primero del estudio a presentar al lector las que se consideran son las específicas dificultades de ese colectivo para su inclusión laboral, ahondando en las que se consideran como barreras sociales.

Por otro lado, y continuando con el rigor que caracteriza el estudio, el Prof. De Fuentes contextualiza el problema atendiendo a los parámetros internacionales, comunitarios y nacionales sobre la igualdad real, material o efectiva y, por tanto, sobre el derecho a la no discriminación por razón de discapacidad. Cuestión ésta que parte de la necesidad de «apoyos» a estas personas para superar la situación adversa a que les abocan las barreras sociales y requiere su definición jurídica a partir, tal y como se desarrolla en el Capítulo Segundo de la obra, del concepto de igualdad de oportunidades para proponer la existencia de un derecho, el «derecho de acción positiva», la discriminación «inversa» y la igualación material caso por caso.

Y, por último, opta el Prof. De Fuentes por un concepto amplio de protección social, indagando en la que aún en la actualidad es una distinción difícil y no exenta de duda entre Seguridad Social y protección social «externa», propugnando una norma estatal que identifique con precisión el conjunto de prestaciones y determine los elementos y rasgos básicos de su compatibilidad con el empleo; norma estatal que se configuraría como el marco mínimo, básico y homogéneo en todo el territorio español para evitar las diferencias al respecto detectadas entre las normas de las CCAA que soslayan dos principios básicos constitucionales, el de la igualdad real y efectiva en su dimensión territorial y el de la solidaridad interterritorial.

El Capítulo Tercero de la obra, centrado en la protección social, parte de una cuestión: ésta, la protección social ¿sirve para la inclusión social de las personas con discapacidad mental a través del empleo? Cuestión que resuelve el autor adoptando un concepto, el de «prestaciones sociales para el empleo», asumiendo el que ya hace tiempo formulamos en su momento como Protección Social, caracterizándola a partir de su enlace con el reconocimiento y garantía constitucional de los que cabe identificar como derechos sociales. De este modo, indaga el autor en la Protección Social pública, la engloba en un Sistema de Protección Social, al que califica como obligatorio y básico, cuya finalidad es la satisfacción de un derecho social, al que cabe definir como conjunto de acciones y medidas o prestaciones técnicas o económicas destinadas a satisfacer las necesidades de servicios esenciales; protección o actividad prestacional «exterioriza-da» en el sentido de que si bien a su través se ha de procurar la integración social, la participación plena en la sociedad, que requiere en ocasiones del compromiso real y efectivo del propio ciudadano, exige la interven-ción de instituciones destinadas a satisfacer las necesidades de servicios esenciales, comprendiendo o integrando todas con independencia de cuál sea su naturaleza, públicas o privadas, y éstas colaboradoras o no de las diferentes Administraciones Públicas.

Ese derecho, el derecho a la protección social, atendiendo a su obje-tivo o finalidad, el derecho a la integración social, es o tiene estructura compleja y su plena satisfacción tiene también ese carácter, por lo que dependerá de las opciones de política legislativa que lo ordene, lo siste-matice, y, fundamentalmente, que establezca los límites o fronteras entre las acciones que corresponde atribuir a las diferentes entidades o institu-ciones de naturaleza pública o privada que ordenan su satisfacción. Por imperativo constitucional los poderes públicos quedan obligados a res-ponsabilizarse de la situación material de la población y, en consecuencia, han de adoptar medidas integrales en una política activa a favor de la integración social a través de la procura de los que pueden considerarse máximos valores y necesidades vitales de la población, el empleo y la protección social. En este caso, la protección social, como instrumento de garantía o de tutela de los sujetos en situaciones de necesidad, tipificadas y ordenadas o previstas en nuestro ordenamiento jurídico, en especial la provocada o derivada de la carencia o pérdida del empleo, procurando al ciudadano unos ingresos o recursos económicos y sociales suficientes y orientando la política reparadora hacia la integración o reintegración laboral. Corresponde por tanto en nuestro Sistema de Protección Social, en su ordenación legal, ésta es la opción de política legislativa, conjugar, equilibrar la intervención de los poderes públicos (en tanto que obliga-ción constitucional ineludible) con la de las entidades privadas y, desde un aspecto objetivo-cuantitativo, equilibrar las exigencias económicas y sociales del Estado y de sus ciudadanos; éstas, las sociales, ligadas a los principios básicos que inspiran nuestro ordenamiento jurídico propio de un Estado Social y Democrático de Derecho, igualdad de oportunidades, dignidad humana y solidaridad interpersonal e interterritorial.

Esos valores, entendidos como principios-guía de la efectividad de la garantía y promoción de los derechos sociales, exigen adecuar los ámbitos de los sectores jurídicos conformados en torno al trabajo, hoy empleo, y a la protección social, Derecho del Trabajo y Derecho de la Protección So-cial, en particular, Derecho de la Seguridad Social, que están hoy en pleno redimensionamiento, debido a las profundas transformaciones que conforman el contexto del empleo y de la protección social; transformaciones sociales, económicas, ideológicas, tecnológicas y demográficas.

En lo que al Derecho de la Seguridad Social, entendido como sector del ordenamiento jurídico que ordena el sistema prestacional del Estado hacia sus ciudadanos, basado en una contribución de éstos derivada de su actividad profesional previa, se une –esa es la opción de política legislativa en nuestro ordenamiento jurídico- la de sistema de protección de las necesidades sociales de todos los ciudadanos con independencia de que éstos hayan contribuido previamente y con independencia de cuál haya sido la cuantía de la contribución o cotización al Sistema (lo que se ha denominado asistencialización o universalización del ámbito de protección), buscando integrar así a colectivos que, por una u otra circunstancia demuestran una especial situación de necesidad, entre ellos, por tanto los que se caracterizan como colectivos vulnerables o colectivos excluidos sociales. Otra cosa, bien diferente, es si la universalización, entendida como asistencialización, ha de ubicarse en el marco de la Seguridad Social en sentido estricto; y también muy diferente y de consecuencias negativas en lo social y económico es si la «universalización» (conjunto de prestaciones no contributivas o asistenciales) ha de imbricarse en el ámbito de la Seguridad Social, esencialmente contributiva, lo que, es evidente, como demuestra la evolución del Sistema, ha provocado y seguirá provocando inconvenientes importantes, tanto que la Seguridad Social puede convertirse en un factor directo o indirecto de exclusión social si atendemos a los problemas estructurales del sistema, en particular, su tendencia hacia «la asistencialización», a la lógica que la define, prueba de estado de necesidad, basado en unos límites muy bajos de renta y prestaciones de subsistencia, limitadas a un nivel mínimo. Y no sólo respecto de la que en nuestro sistema se ha denominado «modalidad no contributiva» sino también de la utilización de técnicas asistenciales en el ámbito de la modalidad contributiva, que ha limitado la eficacia real de la protección asistencial en sentido estricto y degradado la eficacia de la protección contributiva, con el efecto añadido de la descentralización territorial que caracteriza el «modelo» de protección social español a través de la distinción «artificial» entre Seguridad Social y asistencia social, entre la garantía de mínimos estatales y los complementos (o mejoras) de garantías de mínimos por las Comunidades Autónomas atendiendo a la que el TC (sentencia 239/2002) consideró era de su competencia en el marco de la protección social pública.

Atendiendo a estas premisas, el Prof. De Fuentes presenta unas propuestas medidas, razonables, que requieren de la voluntad política de los distintos poderes públicos. Es así como plantea: una reforma legal conjunta de las prestaciones de Seguridad Social que actualmente pueden recibir las personas con discapacidad en la fase de búsqueda de empleo (Prestación no contributiva de invalidez, prestación por hijo a cargo y Renta Activa de Inserción); la necesidad de que las ayudas económicas de Servicios Sociales de la Comunidad de Madrid para el colectivo puedan ser comunes a todo el Estado, indicando los que podrían ser los medios jurídicos para conseguirlo con el actual reparto constitucional de competencias entre el Estado y las Comunidades Autónomas; cambios concretos en la regulación actual de la Incapacidad Temporal para acoplarla a las necesidades de las personas con discapacidad Mental; y, por último, la rectificación de la regulación actual de la Incapacidad Permanente Absoluta dando alternativas concretas a la misma.

Aun cuando corresponde al lector la valoración del estudio, no nos resistimos a concluir que el mismo será una obra de referencia entre la literatura especializada y esperamos que, en un futuro próximo, aquellos a quienes corresponde activar la política pública en nuestro país reflexionen sobre las propuestas para conseguir que nuestro Estado promocione y promueva la inclusión social de las Personas con discapacidad Mental a través del empleo y de la ocupación.

Mª Yolanda Sánchez-Urán Azaña

Profesora Titular, Acreditada como Catedrática,
de Derecho del Trabajo y de la Seguridad Social

Madrid, septiembre 2016

Introducción

«La imposibilidad del ejercicio de los derechos no es cosa distinta, en sus efectos, a la ablación llana y lisa de su titularidad»

CASAS BAAMONDE, M.E.[1]

Las personas con trastornos mentales graves o con discapacidad mental, denominación que nosotros preferimos utilizando la terminología del artículo primero de la Convención de Naciones Unidas de Derechos de las Personas con discapacidad (en adelante, la Convención)[2], es uno de los colectivos a los que les cuesta en mayor medida la inserción en el mundo del trabajo. Y ello es así especialmente por la existencia de un estigma social para con el colectivo que dificulta en gran medida la inclusión laboral de estas personas cuestión a la que ha pretendido poner coto incluso el Parlamento Europeo[3].

---

1. «Prólogo» al *Tratado sobre discapacidad*, DE LORENZO, R., y PÉREZ BUENO, L. C. (Dirs.), Thomson-Aranzadi, Navarra, 2007, p. 43.
2. Aprobada por la Asamblea de la ONU el 13 de diciembre de 2006, junto con su Protocolo Facultativo, ratificado por España mediante Instrumento de ratificación publicado en el BOE de 21 de abril de 2008.
3. Al respecto, vid. el Informe del Parlamento Europeo sobre la salud mental [2008/2209 (INI)], de 28 de enero de 2009 que en su considerando «S» indica literalmente: «Considerando que la discriminación y la exclusión social que sufren las personas con problemas de salud mental y sus familias no son solo consecuencia de los trastornos mentales, sino también de su estigmatización, rechazo y marginación, y que son factores de riesgo que oponen obstáculos a la petición de ayuda y al tratamiento». Vid. también, entre otros, el trabajo de MUÑOZ LÓPEZ, M., PÉREZ SANTOS, E., y GUILLÉN, A. I., «El estigma de la enfermedad mental: definición e intervención», en PASTOR, A., BLANCO, A., y NAVARRO, D., (Coords.), *Manual de rehabilitación del trastorno mental grave*, Editorial Síntesis, Madrid, 2010, pp. 687-711. Consúltese igualmente, VALDÉS ALONSO, A., *Despido y protección social del enfermo bipolar. (Una contribución al estudio del impacto de la enfermedad mental en la relación laboral)*, Editorial Reus, Madrid, 2009, pp. 76-84. También, en el artículo «Es trabajo, no beneficencia. Los programas de inserción laboral de colectivos vulnerables son claves para su proyecto de vida», Elpais.com, 2 de junio de 2014, se habla del estigma hacia las PCD mental: «Hay temores a contratar a un enfermo mental (...) porque creen que su estado físico no va a responder a las exigencias del trabajo».

La Organización Mundial de la Salud (OMS)[4] atribuye, entre otros, a este colectivo de PCD el incremento de tasas de la condición de discapacidad en los últimos años pues en el mundo padecen una enfermedad mental unos 450 millones de personas, existiendo consenso científico en que entre un 1,5 y un 2,5 por mil de la población sufre un trastorno mental grave[5] que sería, como luego veremos, la condición necesaria para presentar una discapacidad mental. En España, según datos de la propia OMS, los trastornos mentales y neuropsiquiátricos representan el 27,4% del conjunto de enfermedades existentes en nuestro país[6] y se estima que en la actualidad un 9% de la población española padece una enfermedad mental[7]. Asimismo, el coste económico de la atención social de este tipo de enfermedades se estima que pueda ser entre un 3 y 4% del Producto Nacional Bruto en los países europeos[8].

Por lo que respecta al ámbito laboral, según datos de la Organización Internacional del Trabajo (en adelante, OIT)[9] los trastornos mentales están aumentando hasta convertirse en el motivo más común para la asignación de pensiones de incapacidad. Asimismo, la tasa de desempleo de estas personas, está por encima del 80% en distintas sociedades de nuestro entorno[10], e incluso en algunos estudios se indica que puede llegar al 90%

---

4. WORLD HEALTH ORGANIZATION, *Mental Health Atlas 2011*, Department of Mental Health and Substance Abuse, 2011, Accesible en:*http://www.who.int/mediacentre/multimedia/podcasts/2011/mental_health_17102011/en/*

5. BLANCO DE LA CALLE, A., «El enfermo mental con discapacidades psicosociales», en PASTOR, A., BLANCO, A., y NAVARRO, D., (Coords.), *Manual de rehabilitación del trastorno mental grave*, cit., p. 81.

6. WORLD HEALTH ORGANIZATION, *Mental Health Atlas 2011*, citado.

7. ORGANIZACIÓN MUNDIAL DE LA SALUD, *Mental Health: facing the challenges, building solutions*, 2005.

8. MINISTERIO DE SANIDAD Y CONSUMO, *Estrategia de Salud Mental del Sistema Nacional de Salud*, Madrid, Editado por el propio Ministerio, 2006, citado por AA.VV., FERNÁNDEZ, C., (Coord.), *Guía de Productos de Apoyo para personas con trastorno mental*, versión electrónica accesible en: *http://www.fundacionmanantial.org/guia/guia.html*. De ahí que VALDÉS ALONSO, A., *Despido y protección social del enfermo bipolar (Una contribución al estudio del impacto de la enfermedad mental en la relación de trabajo)*, cit., p. 7, considere a la Salud Mental como el «Desafío socio-sanitario del siglo XXI».

9. En el estudio de la OIT, *Mental Health in the workplace: introduction*, Ginebra, Octubre de 2000, citado por VALDÉS ALONSO, A., *Despido y protección social del enfermo bipolar (Una contribución al estudio del impacto de la enfermedad mental en la relación de trabajo)*, cit., p. 9.

10. LÓPEZ ÁLVAREZ, M., LAVIANA CUETOS, M., y GONZÁLEZ ÁLVAREZ, S., «Rehabilitación laboral y programas de empleo», en PASTOR, A., BLANCO, A., y NAVARRO, D., (Coords.), *Manual de rehabilitación del trastorno mental grave*, Editorial Síntesis, Madrid, 2010, p. 515.

o más[11]. Y, más aún, sólo el 5% de las Personas con discapacidad Mental (en adelante, PCDM) logra tener un empleo estable[12]. Asimismo, es junto con la discapacidad intelectual, el tipo de discapacidad al que le cuesta entrar más en el mundo empresarial[13] pues parece que existe dentro de los responsables de selección y contratación de las empresas una jerarquía dentro de las diversas tipologías de discapacidad, siendo las de tipo físico y sensorial las mejor valoradas y las psiquiátricas y emocionales las que menos[14].

El presente trabajo pretende estudiar fundamentalmente la protección social existente para las PCDM y analizar en qué medida sirve a su inclusión laboral (capítulo III de la obra). Además de lo anterior, si la discapacidad se configura como la necesidad de apoyos para paliar, sobrellevar o poder superar una situación adversa por la existencia de barreras sociales que interactúan con la deficiencia que sufren determinadas personas, es preciso estudiar el régimen jurídico de estos apoyos, cuestión que realizaremos en el capítulo II de la obra. No obstante, antes de entrar a analizar estos aspectos, entendemos necesario realizar una exposición descriptiva del colectivo protagonista de este estudio que llevaremos a cabo en el apartado siguiente.

---

11. ALCOVER DE LA HERA, C. M., y PÉREZ TORRES, V., «Trabajadores con discapacidad: problemas, retos y principios de actuación en salud ocupacional», *Revista Medicina y Seguridad del Trabajo* (Internet), n.º 57, Suplemento 1, 2011, pp. 206-223, específicamente p. 207 en la cual cita tres estudios sobre la materia que son los siguientes: Larson JE, Ryan CB, Wassel AK, Kaszynski KL, Ibara L, Glenn TL, Boyle MG., «Analyses of employment incentives and barriers for individuals with psychiatric disabilities», *Rehabilitation Psych*, n.º 56, 2011, pp. 145-149; Kennedy RB, Harris NK., «Employing persons with severe disabilities: Much work remains to be done», *Journal Employment Couns*, n.º 42, 2005, pp. 133-139 y Crowther RE, Marshall M, Bond GR, Huxley P., «Helping people with severe mental illness to obtain work: A systematic review», *BMJ*, n.º 322, 2001, pp. 204-208.

12. COMUNIDAD DE MADRID Y OBRA SOCIAL «LA CAIXA», *Estigma social y enfermedad mental*, Madrid, 2006, citado por AA.VV., FERNÁNDEZ, C., (Coord.), *Guía de Productos de Apoyo para personas con trastorno mental*, citado.

13. Vid. INSTITUTO NACIONAL DE ESTADÍSTICA, *El empleo de las personas con discapacidad. Año 2014, 2013 y 2012*, publicadas, respectivamente, en diciembre de 2015, 2014 y 2013. Con los datos de diciembre de 2014 las PCD mental vuelven a presentar una menor tasa de actividad (28,5%), que el resto de las discapacidades. No obstante, esta ratio está mejorando lenta pero progresivamente cada año pues en 2012 sólo era de un 27%. Le siguen las personas con discapacidad del sistema cardiovascular, inmunológico y respiratorio (29,7%) y a continuación la discapacidad intelectual con un 30% de tasa de actividad. Frente a ello, la tasa de actividad de las personas con discapacidad por déficit auditivo es del 58,9%. Por tanto, al colectivo de PCD mental es al que más le cuesta el acceso al mundo laboral.

14. ALCOVER DE LA HERA, C. M., y PÉREZ TORRES, V., «Trabajadores con discapacidad...», cit., pp. 212-213.

Capítulo I

La discapacidad mental: caracteres generales, dificultades y beneficios de la inserción laboral

SUMARIO: I. TIPOS DE DISCAPACIDAD. II. LA «NUEVA» DISCAPACIDAD MENTAL. III. REQUISITOS DEL TRASTORNO MENTAL PARA GENERAR DISCAPACIDAD. 1. Diagnóstico clínico. 2. Duración. 3. Funcionamiento psicosocial. IV. DÉFICITS PROVOCADOS EN LA PERSONA POR EL TRASTORNO MENTAL. V. EL RECONOCIMIENTO, DECLARACIÓN Y CALIFICACIÓN DEL GRADO DE DISCAPACIDAD MENTAL. VI. DIFICULTADES DE INSERCIÓN LABORAL DEL COLECTIVO. 1. Efectos directos de la propia enfermedad. 2. Repercusiones de la enfermedad sobre los prerrequisitos para el trabajo. 3. Efectos de la atención sanitaria y social. 4. Barreras sociales. 5. Dificultades derivadas de las políticas institucionales. VII. EFECTOS BENEFICIOSOS DEL TRABAJO PARA LAS PCDM. VIII. PRINCIPALES APOYOS PARA LA INSERCIÓN LABORAL Y EL MANTENIMIENTO DEL PUESTO DE TRABAJO PARA LAS PCDM.

«La forma que una sociedad tiene de afrontar la desviación y la locura
define su valentía social y la integridad de sus valores cívicos»

DESVIAT, M.[1]

I. TIPOS DE DISCAPACIDAD

Partiendo de la definición que contiene la Convención que ha sido traspuesta a nuestra legislación en la Ley General de derechos de las personas con discapacidad y su inclusión social (en adelante, LGD)[2], la discapaci-

---

1. Psiquiatra. En, *De locos a enfermos. De la psiquiatría del manicomio a la salud mental comunitaria*, Ayuntamiento de Leganés, Leganés, 2007, p. 17.
2. Real Decreto Legislativo 1/2013, de 29 de noviembre, por el que se aprueba el Texto Refundido de la Ley General de derechos de las personas con discapacidad y de su inclusión social (BOE de 3 de diciembre).

dad deviene de una deficiencia a largo plazo de la persona y de las barreras sociales que se originan al interactuar estas personas con su entorno social. La sociedad es incapaz de ser inclusiva con las diferencias que las PCD presentan y ello se traduce en un entorno inadecuado y hostil que siembra más dificultades a las que de por sí ya atesoran las PCD a causa de su deficiencia.

La Convención (art. 1) habla de cuatro tipos de deficiencias (físicas, mentales, intelectuales o sensoriales) y ello es asumido por nuestra LGD en su artículo 4.1 al definir la PCD[3]. Con ello se resume y acoge todo el extraordinario esfuerzo de codificación que se llevó a cabo en la Clasificación Internacional del Funcionamiento, de la discapacidad y de la Salud, aprobada por la 54.ª Asamblea General de la Organización Mundial de la Salud (OMS) en mayo de 2001 y que se conoce con sus siglas en inglés (CIF). Dicho catálogo vino a sustituir al anterior de 1980 sobre las Deficiencias, discapacidades y Minusvalías (también conocida por sus siglas en la lengua anglosajona CIDDM). Como indica la propia CIF, su razón de ser es «aportar un lenguaje estandarizado, fiable y aplicable transculturalmente, que permita describir el funcionamiento humano y la discapacidad como elementos importantes de la salud, utilizando para ello un lenguaje positivo y una visión universal de la discapacidad, en la que dichas problemáticas sean la resultante de la interacción de las características del individuo con el entorno y el contexto social»[4].

Como ha sido interpretado por el Tribunal de Justicia de la Unión Europea en su Sentencia de 11 de abril de 2013 (asuntos acumulados C-335/11 y C-337/11, Danmark), apartado 47, la discapacidad «debe interpretarse en el sentido de que comprende una condición causada por una enfermedad diagnosticada médicamente como curable o incurable, cuando esta enfermedad acarrea una limitación, derivada en particular de dolencias físicas, mentales o psíquicas que, al interactuar con diversas barreras, pueden impedir la participación plena y efectiva de la persona de que se trate en la vida profesional en igualdad de condiciones con los demás trabajadores, y si esta limitación es de larga duración».

A los efectos del presente trabajo, baste con esta enumeración para tener claro que la mental es uno de los cuatro tipos de discapacidad que

---

3. Sobre las causas de discapacidad, sin diferenciar más que en físicas (que incluiría la sensorial) y psíquicas (que acogería sin distinciones la intelectual y la mental), vid. ESTEBAN LEGARRETA, R., *Contrato de trabajo y discapacidad*, cit., p. 60.

4. Sobre estas clasificaciones, vid. JIMÉNEZ LARA, A. «Conceptos y tipologías de la discapacidad. Documentos y normativas de clasificación más relevantes», cit., especialmente, pp. 190-204. También, ESTEBAN LEGARRETA, R., *Contrato de trabajo y discapacidad*, cit., pp. 37-41.

proviene de la propia definición que establece la Convención y que ha sido recogida ya en nuestro Ordenamiento Jurídico por la LGD. Asimismo, debe quedar claro que dentro del gran colectivo de PCD existe una realidad compleja, con diversos grupos en su interior, necesitados de regulación jurídica distinta que se pueda acoplar a sus concretas necesidades y que tal como afirma ESTEBAN LEGARRETA «debe favorecerse a aquellos subcolectivos de personas con discapacidad con especiales dificultades de participación en la vida social y económica»[5] entre los que se encuentra sin lugar a dudas las PCDM.

II.   LA «NUEVA» DISCAPACIDAD MENTAL

Como se acaba de indicar, la Convención recoge la existencia de la discapacidad mental y, como se dijo, ha sido acogida ya por el artículo 4.1 de la LGD[6]. La primera consecuencia de ello es que, por fin, se ha dividido la anterior acepción de «psíquica», establecida en todos los textos normativos españoles comenzando por nuestra Carta Magna en su artículo 49 CE, en sus dos componentes de «mental» por una parte e «intelectual» por otra[7]. Este pequeño cambio gramatical tiene una importancia y consecuencias nada desdeñables para el campo de la salud mental.

En primer lugar, desde un punto de vista terminológico, la Convención se ha inclinado por una nomenclatura más corta y fácil («discapacidad mental») que las otras con las que habitualmente se identifica al colectivo: enfermedad mental, trastorno mental o, incluso, discapacidad psiquiátrica, esta última menos usada en España pero frecuente en la literatura científica internacional[8].

Según las definiciones del Diccionario de la RAE[9], la anterior acepción,

---

5.   ESTEBAN LEGARRETA, R., *Contrato de trabajo y discapacidad*, cit., pp. 70-71.

6.   Al refundir el artículo 1.2 LIONDAU, que había sido modificado por la Ley 26/2011, de 1 de agosto, de modificaciones normativas para adaptar nuestro Ordenamiento a la Convención de la ONU.

7.   No obstante, ya en los artículos 2.2 y 2.4 de la Ley 39/2006, de 14 de diciembre, de Promoción de la Autonomía Personal y Atención a las personas en situación de Dependencia, se contempló la separación entre discapacidad intelectual o mental aunque no a efectos definitorios como en la Convención o en la LGD. Esta importante distinción no es original de la Convención pues ya la OIT lo recogía en su interesante documento *Gestión de las discapacidades en el lugar de trabajo. Repertorio de recomendaciones prácticas de la OIT*, Oficina Internacional del Trabajo, Ginebra, 2002, p. VII, accesible en: http://www.ilo.org.

8.   Vid., por ejemplo, el importante trabajo de ANTHONY, W., COHEN, M. y FARKAS, M., *Psychiatric rehabilitation*, Center for Psychiatric Rehabilitation, Boston, 1990.

9.   22.ª edición, Espasa Calpe, 2001, 5.ª actualización de 2011, http://www.rae.es.

«psíquica», hacía referencia al ámbito más general de la «psique» o alma humana y englobaba, como ya se ha dicho, a las deficiencias tanto intelectuales como a las propias de las personas afectadas por una enfermedad mental. Por su parte, «mental», según la tercera entrada del término –la psicológica–, se constriñe «al conjunto de actividades y procesos "psíquicos", sean o no conscientes». Y psíquico, a su vez, se identifica con «psicológico», esto es, relativo a «la ciencia que estudia los procesos mentales en personas y animales».

Podía haberse utilizado también la locución «discapacidad psiquiátrica» pues, según la RAE, se puntualiza como «perteneciente a la ciencia que trata de las enfermedades mentales». No obstante, es un adjetivo con una gran carga histórica negativa y entendemos que el legislador, nacional y de la ONU, acierta al no utilizarla pues, como indica la Estrategia Española sobre discapacidad 2012-2020 (en adelante, «la Estrategia»)[10], «los prejuicios de la sociedad constituyen en sí mismos una discapacidad». Y es comúnmente aceptado que con relación a todo lo que rezume a psiquiátrico existe un prejuicio social evidente.

Por consiguiente, el término 'mental' consideramos que es el más ajustado para identificar al conjunto de discapacidades provenientes de la problemática de salud mental y, por ello, es el que hemos elegido para este trabajo.

En segundo término, esta modificación legal debe tener un efecto importante para la visibilidad de las personas que sufren una enfermedad mental. Este colectivo es identificado en la propia «Estrategia» (p. 2) como uno de los elementos claves del progresivo incremento de las PCD en España y en el mundo. Asimismo, «la Estrategia» (p. 27) indica como uno de sus objetivos principales el «conocimiento» real de la situación en la que viven las PCD en España. Sin duda, la creación de una figura independiente para la «discapacidad mental» coadyuvará a esa finalidad.

Por último, pero no por ello menos importante, es esencial que lo antes posible se diferencie a la «nueva» discapacidad «mental» en las estadísticas y datos oficiales para conocer la situación de nuestro colectivo en empleo, educación y formación, pobreza y exclusión social, etc. Se debe comenzar con el propio reconocimiento legal de la discapacidad[11], regula-

---

10.   En su página 10. Estrategia aprobada por el Consejo de Ministros de 14/10/2011, a propuesta de la Ministra de Sanidad, Política Social e Igualdad. Puede consultarse en: http://sid.usal.es/libros/discapacidad/26112/8-4-1/estrategia-espanola-sobre-discapacidad-2012-2020.aspx.

11.   Real Decreto 1971/1999, de 23 de diciembre, de procedimiento para el reconocimiento, declaración y calificación del grado de discapacidad (en adelante, RDPD). A partir

do por el Real Decreto 1971/1999, de 23 de diciembre, para saber cuántas personas con discapacidad mental existen. En efecto, tras la última modificación de septiembre de 2012, la Disposición Adicional primera del citado reglamento indica que «A instancia de la persona interesada o de quien ostente su representación, se certificará por el organismo competente el tipo o los tipos de deficiencia o deficiencias que determinan el grado de discapacidad reconocida, conforme a la información que conste en el expediente, a los efectos que requiera la acreditación para la que se solicita». En la certificación que se expida debería constar la discapacidad «mental» como tipo independiente.

En este objetivo de saber cuántas personas con trastorno mental tienen reconocimiento legal de discapacidad, deben colaborar tanto la Administración General del Estado como las Comunidades Autónomas. Y, sin duda, debe incluirse en el «Perfil de la discapacidad de España» que, como se indica en «la Estrategia» (p. 39) se desarrollará con carácter anual para permitir tener «una serie temporal de diversos indicadores útil para la elaboración de las políticas públicas».

III. REQUISITOS DEL TRASTORNO MENTAL PARA GENERAR DISCAPACIDAD

No todas las personas que sufren una enfermedad o trastorno mental presentan una discapacidad. Para que así sea, se precisa que la enfermedad sea considerada grave[12], término polisémico que ha tenido una evolución interesante[13] y que en la actualidad se ha consensuado que está

---

de la Disposición Final tercera del Real Decreto 290/2004, de 20 de febrero, por el que se regulan los enclaves laborales, se estableció una Disposición Adicional Única en el RDPD para que en todos los certificados de discapacidad se hiciera constar, como mención complementaria, el tipo de discapacidad en las categorías de psíquica, física o sensorial, según corresponda. Por tanto, se debería modificar tal tipología para dividir la «psíquica», en «mental» e «intelectual». No obstante, el RD 1364/2012, de 27 de septiembre, modificó el RDPD para suprimir la obligatoriedad de señalar el tipo o tipos de discapacidad y ello para proteger la privacidad de la información personas de las PCD.

12. Que provoque una limitación de larga duración, según la doctrina de la anteriormente citada STJUE de 11 de abril de 2013, asunto Danmark, apartado 47.

13. Sobre el tema, vid. GONZÁLEZ CASES, J. C., *Violencia en la pareja hacia mujeres con trastorno mental grave*, Tesis Doctoral, Departamento de Especialidades Médicas de la Universidad de Alcalá, Madrid, 2011, pp. 25-33. El término «grave», p. 26, es «equivalente al también utilizado en nuestro contexto "trastorno mental severo", provienen de los vocablos anglosajones *"Severe Mental Illnes"* o del cada vez más utilizado *"Severe and Persistent Mental Illnes"*. Sin embargo, a lo largo de la historia ha habido diferentes denominaciones para el colectivo de personas con trastorno mental grave: enfermo mental crónico, enfermedad mental grave y persistente, enfermo mental

asociada a tres variables[14]: diagnóstico clínico, duración y funcionamiento psicosocial.

1. DIAGNÓSTICO CLÍNICO

Siguiendo la «Guía de Práctica Clínica de Intervenciones Psicosociales en el Trastorno Mental Grave»[15], en el concepto de Enfermedad Mental Grave se incluirían los siguientes diagnósticos clínicos[16]:

- Trastornos esquizofrénicos (F20)[17];

- Trastornos esquizotípicos (F21);

---

severo, personas con discapacidades psiquiátricas de larga evolución, discapacidad psiquiátrica grave, paciente mental crónico, etc. Aunque en las primeras definiciones el término "crónico" era de uso generalizado, ya a partir de los 90 empezó a cuestionarse su uso por ser una etiqueta asociada al estigma y por las expectativas pesimistas de mejoría que están relacionadas con el término crónico».

14. BLANCO DE LA CALLE, A., «El enfermo mental con discapacidades psicosociales», en PASTOR, A., BLANCO, A., y NAVARRO, D., (Coords.), *Manual de rehabilitación del trastorno mental grave,* Editorial Síntesis, Madrid, 2010, p. 81.

15. Elaborada por el Grupo de Trabajo de la Guía de Práctica Clínica de Intervenciones Psicosociales en el Trastorno Mental Grave, Plan de Calidad para el Sistema Nacional de Salud del Ministerio de Sanidad y Política Social, Madrid, 2009.

16. Se sigue la nomenclatura de Organización Mundial de la Salud (OMS), *CIE 10. Trastornos mentales y del comportamiento: descripciones clínicas y pautas para el diagnóstico (10.ª rev.),* Meditor, S.L., Madrid, 2004. Se trata de la décima versión de la Clasificación Internacional de Enfermedades, que se conoce por su acrónimo CIE-10, sistema recomendado por la *Organización* Mundial de la Salud frente a la otra gran obra para los diagnósticos clínicos de la Asociación Americana de Psiquiatría «El Manual Diagnóstico y Estadístico de los Trastornos Mentales (Diagnostic and Statistical Manual of Mental Disorders)», conocido por sus siglas en inglés, DSM. En la actualidad, se encuentra en la cuarta edición revisada (DSM-IV-TR) y ya se está elaborando la quinta edición.
El CIE-10 contiene un total de 100 categorías (clasificadas de la A00 a la Z99), que agrupan 329 entidades clínicas individuales. El capítulo V (designado con la letra F) se refiere a los trastornos mentales y del comportamiento y consta de once grandes secciones. Junto al nombre del diagnóstico, se incluye entre paréntesis su correspondiente número en la clasificación CIE-10.

17. Dentro de la categoría «esquizofrenia» se incluyen varios tipos. Vid. PELLEGRINI SPANGENBERG, M., CAPUA, R. N., y SÁNCHEZ RODRÍGUEZ, Ó., «Desarrollo profesional en personas con trastornos psicóticos», en SÁNCHEZ RODRÍGUEZ, Ó. (Coord.), *Desarrollo profesional e inserción laboral en personas con enfermedad mental,* Editorial Grupo 5, Madrid, 2012, pp. 455-477, especialmente, 456-458 en las que indica las características básicas de las tipologías de esquizofrenias (paranoide, hebefrénica, simple, catatónica y residual). Sobre la esquizofrenia, se recomienda la lectura, idónea para no médicos, de REBOLLEDO MOLLER, S. y LOBATO RODRÍGUEZ, M. J., *Cómo afrontar la esquizofrenia. Una guía para familiares, cuidadores y personas afectadas,* Grupo Aula Médica, Madrid, 2005.

- Trastornos delirantes persistentes (F22);

- Trastornos delirantes inducidos (F24);

- Trastornos esquizoafectivos (F25);

- Otros trastornos psicóticos de origen no orgánico (F28 y F29);

- Trastorno bipolar (F31);

- Episodio depresivo grave con síntomas psicóticos (F32.3);

- Trastorno depresivo recurrente (F33);

- Trastorno obsesivo compulsivo (F42);

Respecto a los Trastornos graves de la personalidad (F62) es práctica habitual incluir el trastorno límite[18].

2. DURACIÓN

Dentro del concepto de enfermedad mental grave se incluyen aquellas personas que, además de padecer una patología con los diagnósticos antedichos, lleven con la misma una duración prolongada en el tiempo[19]. Se han utilizado diferentes criterios para operativizar este criterio. En la actualidad, los más consensuados serían o bien la duración del tratamiento psiquiátrico (la persona ha de llevar dos o más años en tratamiento en su Centro de Salud Mental), o bien que presente un deterioro importante y progresivo en el funcionamiento psicosocial en los últimos seis meses[20].

---

18. También denominado Borderline (codificado con el número 301.83 del DSM-IV-TR). Así lo indica, GONZÁLEZ CASES, J. C., *Violencia en la pareja...*, cit. p. 30. Sobre el tema, vid. LÓPEZ GÓMEZ, A. y MORENO SANTIAGO, E., «Desarrollo profesional e inserción laboral en personas con trastornos de la personalidad», en SÁNCHEZ RODRÍGUEZ, O. (coord.), *Desarrollo profesional...*, cit., pp. 479-499. Más general y muy ilustrativo para no médicos es la obra de DE FLORES, T., SOTO, A., y SÁNCHEZ, C., *Trastorno límite de la personalidad a la búsqueda del equilibrio emocional. Una guía para profesionales, familias y pacientes*, Morales y Torres Editores, sin fecha.

19. Como indica BLANCO DE LA CALLE, A., «El enfermo mental con discapacidades psicosociales», en PASTOR, A., BLANCO, A., y NAVARRO, D., (Coords.), *Manual de rehabilitación del trastorno mental grave*, cit., p. 78, «es aquel que progresa o persiste durante un período de tiempo prolongado; en general, toda la vida. Es un término que se contrapone al de "agudo"».

20. Este es el criterio del Grupo de Trabajo de la Guía Clínica de Intervenciones Psicosociales en el Trastorno mental, vid. GONZÁLEZ CASES, J. C., *Violencia en la pareja...*, cit. p. 31.

3.   FUNCIONAMIENTO PSICOSOCIAL

El concepto de enfermedad mental grave, además de definirse desde los criterios de diagnóstico y temporal, se formula desde el prisma del funcionamiento[21]. En efecto, las personas que la padecen tienen graves y duraderas limitaciones para afrontar las demandas de la vida diaria. Se han utilizado diferentes pautas para concretar esta dimensión[22], pero existe consenso para determinar que las personas con trastorno mental grave suelen presentar déficit, con mayor o menor grado de afectación, en una o varias de las siguientes áreas de funcionamiento psicosocial[23]:

–   *Autocuidados*: problemas con la higiene personal, hábitos de vida no saludables, etc.

–   *Autonomía*: deficiente manejo del dinero, dificultades en el manejo de transportes, dependencia económica y mal desempeño laboral.

–   *Autocontrol*: apuros para manejar situaciones de estrés, falta de competencia personal, etc.

–   *Relaciones interpersonales*: carencia de red social, inadecuado manejo de situaciones sociales, déficit en habilidades sociales.

–   *Ocio y tiempo libre*: aislamiento, conflicto para manejar el ocio, limitaciones para disfrutar, falta de motivación e interés.

Por tanto, resumiendo todo lo dicho con los tres criterios expuestos, la enfermedad mental grave «designa al conjunto de personas que sufren entidades clínicas diferentes pero que además evidencian una serie de problemas comunes que se expresan a través de diferentes discapacida-

---

21.   Como indica BLANCO DE LA CALLE, A., «El enfermo mental con discapacidades psicosociales», en PASTOR, A., BLANCO, A. y NAVARRO, D., (Coords.), *Manual de rehabilitación del trastorno mental grave*, cit., p. 79, este fue un avance apuntado desde los tratamientos de rehabilitación que procuraban a la persona con discapacidad mental desde equipos multiprofesionales sociales (compuesto por psicólogos, trabajadores sociales, terapeutas ocupacionales, educadores sociales, técnicos de empleo, etc.), complementariamente al tratamiento médico y farmacológico prescrito por los equipos de los centros de salud mental.

22.   GONZÁLEZ CASES, J. C., *Violencia en la pareja...*, cit. pp. 31-32, como «por ejemplo: recibir prestaciones económicas por la discapacidad, necesitar ayuda en el uso de servicios, dificultades en las actividades de la vida diaria, dependencia de cuidadores o servicios, dificultades en el funcionamiento social, dificultades en el funcionamiento laboral, alta vulnerabilidad al estrés, etc.».

23.   BLANCO DE LA CALLE, A., «El enfermo mental con discapacidades psicosociales», en PASTOR, A., BLANCO, A., y NAVARRO, D., (Coords.), *Manual de rehabilitación del trastorno mental grave*, cit., pp. 89-90.

des»[24], que nosotros aglutinamos en el macro concepto de discapacidad mental que pasamos a continuación a describir en qué consiste[25].

IV. DÉFICITS PROVOCADOS EN LA PERSONA POR EL TRASTORNO MENTAL

A pesar de que compartimos la visión, ya expuesta por otros autores[26], de que es necesario superar el modelo basado en la discapacidad y el síntoma por otro modo de intervención que se centre en mayor medida en el desarrollo de capacidades, competencias y bienestar de las personas que sufren problemas mentales, entendemos que hay que describir someramente en qué consiste la discapacidad mental porque nos servirá para el resto de nuestro estudio.

Trataremos de dar una visión homogénea y lo más general posible sobre el tema pero hay que tener en cuenta que, como vimos, son múltiples las patologías y los diagnósticos clínicos que engloba la discapacidad mental que tiene como consecuencia lo que se ha denominado como «variabilidad en términos sincrónicos y diacrónicos»[27], esto es, las diferencias que existen entre unos miembros y otros del mismo colectivo[28] en un momento dado y entre cada individuo concreto en su propia evolución temporal. En efecto, no sólo se da la circunstancia de que dos personas con distinto diagnóstico clínico tengan limitaciones diferentes sino que puede ocurrir que dos personas con una misma categoría clínica puedan presentar dificultades prácticas algo diferentes[29] y, lo que es más frecuente

---

24. BLANCO DE LA CALLE, A., «El enfermo mental con discapacidades psicosociales», cit., p. 81.

25. Como afirman ELS, C., KUNYK, D., HOFFMAN, H. y WARGON, A., «Workplace Functional Impairment Due to Mental Disorders», en Mental Illnesses – Understanding, Prediction and Control, Prof. Luciano LAbate (Ed.), InTech, 2012, accesible en línea en: http://www.intechopen.com/books/mental-illnessesunderstanding-prediction-and-control/workplace-functional-impairment-due-to-mental-disorders, p. 344-345, la discapacidad mental no se puede basar únicamente en el diagnóstico clínico.

26. Al respecto, vid. VÁZQUEZ VALVERDE, C., y NIETO MORENO, M., «Rehabilitación en salud mental: viejos problemas y nuevas soluciones», en PASTOR, A., BLANCO, A. y NAVARRO, D., (Coords.), Manual de rehabilitación del trastorno mental grave, cit., especialmente pp. 68-74 y bibliografía que allí se cita.

27. LÓPEZ ÁLVAREZ, M., LAVIANA CUETOS, M., y GONZÁLEZ ÁLVAREZ, S., «Rehabilitación laboral y programas de empleo», en PASTOR, A., BLANCO, A., y NAVARRO, D., (Coords.), Manual de rehabilitación del trastorno mental grave, cit., p. 512.

28. ELS, C., et al., «Workplace Functional Impairment Due to Mental Disorders», cit., p. 345.

29. En relación a la esquizofrenia, ÁLAMO GONZÁLEZ, C., CUENCA FERNÁNDEZ, E., LÓPEZ MUÑOZ, F., y GARCÍA GARCÍA, P., «Neurolépticos y fármacos antip-

aún, que una misma persona en su itinerario vital pueda evolucionar en sus restricciones personales. Todo ello nos lleva a concluir que la «regla de oro» es la individualización al caso concreto[30] y ello tendrá importantes consecuencias en temas tan trascendentales para el Derecho del Trabajo y de la Seguridad Social como son la incapacidad (temporal y permanente), la adaptación del puesto de trabajo, la prevención de riesgos laborales, la ineptitud sobrevenida, etc.

No obstante lo anterior, trataremos de dar una visión global pero tendremos que distinguir alguna característica específica del trastorno límite de la personalidad. En general, como indica BLANCO DE LA CALLE[31] sí se puede afirmar que las enfermedades mentales graves conllevan alteraciones cognitivas que dificultan el procesamiento de la información. Éstas pueden darse o no, en diferente grado y forma en cada categoría diagnóstica y, por ello, hay algunas deficiencias cognitivas que se observan en los trastornos psicóticos esquizofrénicos que no se dan en los trastornos afectivos (depresión, bipolar, etc.), y viceversa.

El deterioro en el procesamiento de la información es el que ocasiona un conjunto de déficits neuropsicológicos que se pueden resumir en la siguiente tabla[32]:

«– *Percepción*: Procesamiento más lento en los primeros momentos de la codificación, problemas en procesos automáticos de reconocimiento así como una percepción global más disgregada.

– *Atención*: Respuesta de orientación inicial enlentecida, una amplitud de aprehensión reducida y un rendimiento pobre en tareas que demandan atención, teniendo dificultades en separar la información relevante de la irrelevante.

– *Memoria*: Rendimiento pobre en tareas de recuerdo, así como

---

sicóticos. Aspectos farmacológicos de la evolución del tratamiento de la esquizofrenia», en CHINCHILLA MORENO, A., *Las esquizofrenias. Sus hechos y valores clínicos y terapéuticos*, Elsevier Doyma, Barcelona, 2007, p. 347.

30. En el mismo sentido, INSHT, *Salud mental y empleo. Cómo ayudar a las personas a mantener su trabajo. Guía para empleadores*, 2012, especialmente p. 12: «Las distintas enfermedades mentales pueden necesitar respuestas diferentes» y p. 14: «Adapte los planes y las acciones a las necesidades de la persona afectada» y «No piense en un plan universal cada plan ha de personalizarse». Accesible en: http://www.insht.es/PromocionSalud/Contenidos/Promocion%20Salud%20Trabajo/Ambitos/ficheros/SaludMental_Empleo_GuiaEmpleadores.pdf.

31. «El enfermo mental con discapacidades psicosociales», en PASTOR, A., BLANCO, A., y NAVARRO, D., (Coords.), *Manual de rehabilitación del trastorno mental grave,* cit., pp. 83-89.

32. Ídem, pp. 85-86.

aquellas que requieren organización del material, aunque el rendimiento es adecuado si el material es altamente afectivo. Dificultades en la flexibilidad cognitiva y en la realización de tareas complejas.

– *Pensamiento*: Dificultades de abstracción (separación de lo relevante y lo irrelevante). Procesos erróneos en la secuencia de pensamientos. Errores atribucionales. Dificultades en la elección de acciones y en la monitorización de su eficacia».

Por su parte, para las personas con trastorno límite de la personalidad, existen «tres disfunciones básicas: relaciones interpersonales alteradas, desequilibrio afectivo o emocional y falta de control sobre la conducta o impulsos»[33].

El origen de los déficits cognitivos o de las disfunciones básicas de los trastornos límite de la personalidad de los que hemos hablado y, por tanto, las causas concretas de las enfermedades mentales graves están aún por descubrir. Sin embargo, «la OMS recuerda que los avances en la neurociencia y las ciencias de la conducta han demostrado que, al igual que muchas enfermedades orgánicas, los trastornos mentales y conductuales son consecuencia de una compleja interacción de factores biológicos, psicológicos y sociales»[34]. Esto es, ciertas predisposiciones genéticas interactúan con concretas situaciones de estrés ambiental para producir estas enfermedades (modelo de vulnerabilidad).

En este punto es reseñable indicar que en los estudios que han tratado de determinar la etiología de los trastornos mentales se ha concluido que, como regla general, el trabajo no es un factor causal para el desarrollo de estas patologías sino que, al contrario, puede proteger del desarrollo de enfermedades mentales graves[35] cuestión en la que nos detendremos enseguida.

---

33.   DE FLORES, T., SOTO, Á., y SÁNCHEZ, C., *Trastorno límite de la personalidad a la búsqueda del equilibrio emocional...*, cit., p. 19.

34.   DESVIAT MUÑOZ, M., «El devenir de la reforma psiquiátrica», en PASTOR, A., BLANCO, A. y NAVARRO, D. (Coords.), *Manual de rehabilitación del trastorno mental grave*, cit., p. 55, que continúa con la siguiente cita del Informe Salud Mental en el Mundo 2001, publicado por la OMS «Aunque nos queda mucho que aprender, disponemos ya de los conocimientos y la capacidad para reducir la carga que suponen las enfermedades mentales y del comportamiento en todo el mundo».

35.   ELS, C., KUNYK, D., HOFFMAN, H., y WARGON, A., «Workplace Functional Impairment Due to Mental Disorders», en Mental Illnesses – Understanding, Prediction and Control, Prof. Luciano LAbate (Ed.), InTech, 2012, Accesible en línea en: http://www.intechopen.com/books/mental-illnessesunderstanding-prediction-and-control/workplace-functional-impairment-due-to-mental-disorders. En concreto, p. 348, donde literalmente indican: «Working, unlike the commonly understood etiological factors, is not viewed as a risk factor and therefore also not a cause of the

Como consecuencia de la enfermedad mental grave, la persona que la padece experimenta un deterioro que se evidencia en «la pérdida de habilidades para el adecuado desempeño de roles sociales» o, en otras palabras, una disminución en la competencia personal que provoca «toda una cohorte de fallos en el funcionamiento psicosocial»[36]. Existen deterioros en los procesos cognitivos que permiten que el individuo muestre una respuesta eficaz al ambiente, que se reconozca como competente y que tenga capacidad para afrontar una situación nueva. «Saber instrumentalmente realizar una conducta debe acompañarse de unas actitudes cognitivas que configuran la capacidad de afrontamiento de un sujeto. Aspectos como la motivación, la autoestima, el autoconcepto son tan importantes o más que la habilidad instrumental concreta. Y estos procesos cognitivos fallan en muchos casos en los pacientes psicóticos»[37]. En definitiva, merma «la capacidad que el sujeto tiene para hacer frente a estresores ambientales que encuentra o que él mismo crea»[38].

Terminamos este apartado como lo hemos comenzado, haciendo una especial mención a que cada sujeto puede tener un nivel de adaptación distinto, con recursos diferentes y presentando conductas dispares: por ejemplo, el aislamiento social que sería una respuesta para disminuir la sobrecarga estimular que no tienen capacidad de asimilar, la sobreactivación física (sudoración, etc.) consecuencia del exceso de respuestas de de-

---

development of a mental disorder or substance-related disorder. Despite common claims made by workers suffering from mental disorders, there is a lack of definitive empirical evidence to suggest that employment is a causal factor in the development of mental disorders. In determining the etiology, it is commonly understood that non-occupational factors are overwhelmingly deemed as causal and relevant agents in the development of mental disorders. In other words, work does not cause mental illness or addiction, but work rather protects against the development of mental disorders». Sin embargo, por excepción, como estos mismos autores indican, puede ocurrir como de hecho sucede en los Trastornos de Estrés Postraumático que pueda deberse a causas profesionales, al someterse o estar expuesta una persona a una situación estresante en la que llega a temer por su vida. De ahí que el Consejo de Administración de la OIT aprobó el 25 de marzo de 2010 una nueva lista de enfermedades profesionales, en la que se incluyen por primera vez los trastornos mentales y del comportamiento (epígrafe 2.4). Concretamente, el punto 2.4.1, codifica al Trastorno de estrés postraumático (TEPT) tras exposición a un estresor traumático en el trabajo, como puede ocurrir tras accidentes graves y a consecuencia de experiencias de violencia grave, externa o interna que ponen en peligro la vida o la integridad del trabajador.

36. Ambas expresiones en BLANCO DE LA CALLE, A., «El enfermo mental con discapacidades psicosociales», en PASTOR, A., BLANCO, A., y NAVARRO, D., (Coords.), *Manual de rehabilitación del trastorno mental grave*, cit., pp. 88 y 83 respectivamente.
37. Ibidem.
38. Ibidem.

fensa ante situaciones novedosas también o, en fin, la evitación del estrés que supone iniciar o mantener relaciones con otras personas, todas estas conductas pueden presentar diferentes escalas.

Y es que, como dice el Informe Salud Mental en el Mundo 2001, publicado por la OMS[39], «Aunque nos queda mucho que aprender, disponemos ya de los conocimientos y la capacidad para reducir la carga que suponen las enfermedades mentales y del comportamiento en todo el mundo».

V. EL RECONOCIMIENTO, DECLARACIÓN Y CALIFICACIÓN DEL GRADO DE DISCAPACIDAD MENTAL

Antes de abordar las dificultades de inserción laboral del colectivo y los beneficios que ésta puede tener en el desarrollo de la patología mental que sufre la persona, queremos detenernos a analizar el procedimiento normativo para el reconocimiento del grado de discapacidad mental que está regulado en el «Baremo de Enfermedad Mental» (anexo 1.A, capítulo 16, del RDPD[40], que para su consulta hemos incluido sintetizado en el Anexo 1 de este trabajo)[41].

Tal baremo divide la discapacidad en cinco grupos o tipos a los que denomina «Clases de discapacidad». Vienen numerados utilizando los dígitos romanos del I al V. La clase I no tiene nombre pero el resto sí vienen identificados: la clase II o discapacidad leve, la III moderada, la IV grave y la V muy grave. Asimismo, a cada grupo o clase de discapacidad le viene asociado un determinado grado o porcentaje de discapacidad. Así, la clase I sería un 0% de discapacidad (no tendría discapacidad); la clase II (leve) estaría entre el 1 y el 24%; la III (moderada) entre un 25 y un 59%; la IV (grave) vendría asociado a un grado entre el 60 y el 74% y, en fin, la clase V (muy grave) tendría un porcentaje superior al 74%.

Estar situado en una clase u otra de discapacidad mental dependerá no sólo del diagnóstico clínico sino fundamentalmente de la descripción del funcionamiento real del sujeto tanto en su vida diaria como en el ámbito laboral. En efecto, el baremo divide las enfermedades mentales en cinco

---

39. Vid. http://www.who.int/whr/2001/es/ [acceso 07/07/2013].
40. Incluido en la Corrección de errores del RDPD, BOE de 13 de marzo de 2000, páginas 10.299-10.302.
41. Sobre el procedimiento en general de determinación y revisión del grado de discapacidad, vid. el trabajo de ALONSO-OLEA GARCÍA, B., en *La protección de las personas con discapacidad y en situación de dependencia en el Derecho de la Seguridad Social y el Derecho Tributario*, Thomson Reuters, Cizur Menor (Navarra), 2009, pp. 67-85. Mucho más breve, BLASCO LAHOZ, J. F., «La calificación y revisión del grado de discapacidad», *Revista Aranzadi Social Doctrinal*, 9, enero 2013, pp. 257-262.

tipos: 1) trastornos mentales orgánicos; 2) esquizofrenia y trastornos paranoides; 3) trastornos afectivos; 4) trastornos de ansiedad, adaptativos y somatoformos y 5) trastornos de la personalidad. No obstante, para saber el grado de discapacidad de la persona no basta con el diagnóstico clínico sino que tiene mayor relevancia la capacidad funcional del sujeto. Como antes ya indicamos, tal concepción supone un avance al no entender a la PTMG exclusivamente desde el prisma estrictamente médico y se consiguió por el trabajo de los equipos multiprofesionales (compuestos por psicólogos, trabajadores sociales, terapeutas ocupacionales, técnicos de empleo, educadores sociales, etc.), que ponían en práctica tratamientos de rehabilitación de PTMG[42].

Hay que resaltar que el funcionamiento laboral del sujeto es preponderante teniendo una importancia mayor si cabe que el desenvolvimiento de la PTMG en el resto de órdenes de la vida como a continuación se verá.

En concreto, en las clases I y II (leve) de discapacidad se sitúan las personas que aun sufriendo una patología mental de cualquiera de las cinco clases antedichas, bien no supone disminución alguna de su capacidad funcional (clase I), bien pueden llevar a cabo una vida autónoma y mantener una actividad laboral normalizada y productiva excepto en períodos de importante aumento del estrés psicosocial o descompensación (clase II o discapacidad leve). En tales momentos, tal como se indica en el baremo «puede ser necesario un tiempo de reposo laboral junto a una intervención terapéutica adecuada».

En estas dos clases al no llegar al 25% de discapacidad no se pueden computar los factores sociales pues, como se sabe, sólo pueden tenerse en cuenta a partir de contar con un porcentaje superior al referido 25%, tal como indica el Anexo 1.B del RDPD[43]. La consecuencia más importante es que estas dos clases de discapacidad mental no alcanzan el grado del 33% que exige la LGD para ser reconocido «a todos los efectos» como PCD.

Por su parte, se le asignará la clase III o discapacidad moderada a aquella persona cuya capacidad tanto para realizar las actividades de la vida diaria (en donde se incluyen expresamente los contactos sociales), como, específicamente, sus posibilidades de desempeñar un trabajo remunerado en el mundo laboral en empresas abiertas u «ordinario»[44], se

---

42. BLANCO DE LA CALLE, A., «El enfermo mental con discapacidades psicosociales», en PASTOR, A., BLANCO, A., y NAVARRO, D., (Coords.), *Manual de rehabilitación del trastorno mental grave*, cit., p. 79.

43. Para ESTEBAN LEGARRETA, R., *Contrato de Trabajo y discapacidad*, cit., p. 72, debería tenerse más en consideración las circunstancias sociales de las PCD.

44. Como se sabe, se denomina mundo laboral «ordinario» o «abierto» en contraposición

encuentra restringida moderadamente. Las diferencias claves con la clase II o discapacidad leve se encuentran en que, por un lado, el tratamiento y medicación «pueden ser necesarios de forma habitual» y, en segundo término, los síntomas de las diferentes enfermedades psiquiátricas son persistentes o recurrentes dando lugar a períodos de crisis más frecuentes. En el baremo se llega a concretar el alcance temporal de cada tipo de dolencia mental de una manera muy detallada («síntomas psicóticos durante más de medio año» en la esquizofrenia y los trastornos psicóticos, en los trastornos afectivos se concretan en depresión mayor «de más de dieciocho meses» o trastornos bipolares que requieren «más de dos internamientos en un año, o cinco en los últimos tres años», etc.).

Hay que indicar que la clase III o discapacidad moderada tiene asociado el intervalo más amplio de porcentaje de discapacidad de todas las clases de discapacidad mental pues va desde el 25 al 59% de discapacidad. Ello da una idea de la diversidad de funcionamientos que pueden darse dentro de la misma clase de discapacidad. Para ayudar al equipo evaluador, la regulación establece dos subclases de discapacidad moderada. Una primera a la que se le asociaría el tramo entre un 25 y un 44% de discapacidad y la segunda que iría entre los porcentajes del 45 y el 59. Ambos subtipos coinciden en que la restricción es moderada de la capacidad funcional y, por ello, la persona ya precisa de apoyos concretos para sobrellevar su situación mas en el segundo las dificultades, limitaciones o necesidades de apoyo son mayores que en el primero. La diferencia estriba en si la sintomatología clínicamente evidente que subsiste a pesar de la medicación le interfiere notablemente, o no, en la actividad de la persona. Para el ámbito específicamente laboral la cuestión está en determinar si el individuo es capaz, o no, «de desarrollar una actividad laboral normalizada y productiva la mayor parte del tiempo, con supervisión y ayuda» o si sólo puede trabajar «en ambientes laborales protegidos con supervisión mínima». Por tanto, si puede trabajar en empresas ordinarias aunque sea precisando una ayuda relativamente importante, se le asignará el porcentaje inferior de esta clase (entre un 25 y un 44 y, por nuestra experiencia, siempre como mínimo un 33%). Si, en cambio, la PTMG sólo puede trabajar en el denominado empleo protegido, aunque sea con mínima supervisión, su porcentaje de discapacidad estará comprendido entre un 45 y un 59%.

Por lo que respecta a la clase IV o discapacidad grave, comprende aquellas situaciones en que la restricción de la capacidad funcional para

_____

al «protegido» o en centros especiales de empleo o enclaves laborales que es un tipo de empleo regulado por la LGD en sus artículos 37.2 y 43 a 46.

las actividades de la vida diaria («posibilidades de desplazarse, de preparar o ingerir los alimentos, de atender a su higiene personal y al vestido, de cuidar de su hábitat y realizar las tareas domésticas, de comunicarse y tener contactos sociales») pasa de ser moderada (clase III) a «grave». Tal situación se da cuando la persona necesita «supervisión intermitente en ambientes protegidos y total fuera de ellos». En cuanto al desempeño laboral, el baremo establece que estas PTMG «no pueden mantener una actividad laboral normalizada y con dificultad en centros de Educación Especial» (entendemos que se quiere referir a Centros Especiales de Empleo) y aunque puede llegar a Centros Ocupacionales (que no existen para este tipo de discapacidad pues sólo están previstos para las discapacidades intelectuales) «el rendimiento suele ser pobre o irregular». ¿Por qué ocurre todo esto? Porque las PCDM grave presentan «deficiencias importantes en la capacidad para mantener la concentración, continuidad y ritmo en la ejecución de las tareas y repetidos episodios de deterioro o descompensación asociados a las actividades laborales, como consecuencia del proceso en adaptarse a circunstancias estresantes». Más allá de los errores en la denominación de los centros, que denota un desconocimiento injustificable en una norma tan técnica como la que se estudia, nos parece destacable remarcar cómo la discapacidad mental grave provoca en la persona una prácticamente nula capacidad laboral.

Esta situación se intensifica, como es obvio, en la última de las clases de discapacidad mental, la quinta o discapacidad muy grave en la que, taxativamente, se establece que «no existen posibilidades de realizar trabajo alguno, ni aun en centros ocupacionales supervisados» (léase, Centros Especiales de Empleo pues, insistimos, tales centros ocupacionales sólo están previstos para la discapacidad intelectual).

Por consiguiente, a partir del 60% de discapacidad mental (clases grave y muy grave), la inserción laboral parece imposible y lo único que conlleva el reconocimiento legal de discapacidad es la posibilidad de poder tener acceso a una prestación pública (no contributiva de invalidez o por hijo a cargo, que serán estudiadas pormenorizadamente en el capítulo dedicado a la protección social). Decimos el 60% porque suele añadirse en estos casos los puntos de discapacidad necesarios por factores sociales para alcanzar el mínimo del 65% que se exige para tener derecho a las prestaciones antes indicadas.

Una consideración más merece la pena realizar como conclusión de este apartado, a saber: los funcionamientos que hemos descrito en los anteriores párrafos y muy especialmente las capacidades laborales que atesoran las PCDM que son en las que más nos hemos fijado dada la temática de nuestro trabajo, son comunes en cada clase de discapacidad a los cinco tipos de patologías mentales. Esto es, al igual que hemos hecho nosotros al describir en qué consiste la discapacidad mental, el RDPD también establece que los diferentes tipos de diagnósticos de enfermedades mentales graves pueden tener como resultado un funcionamiento muy similar. Las personas con esquizofrenia pueden tener las mimas dificultades y presentar similar funcionamiento y carencias que otra con trastorno bipolar o con depresión mayor. Ello coincide con nuestra experiencia en la inserción laboral de PCDM si bien podríamos hacer una reserva en relación a las personas diagnosticadas de trastorno de la personalidad cuya problemática parece en alguna medida diferenciarse del resto y no tanto por su capacidad funcional en el desempeño de la tarea, que es mayor que en el resto de trastornos mentales, sino por su incapacidad de sobrellevar las relaciones sociales existentes e ineludibles en todo ambiente laboral.

VI.   DIFICULTADES DE INSERCIÓN LABORAL DEL COLECTIVO

Una vez visto a nivel general en qué consiste la discapacidad mental, y aunque ya se ha dicho algo en el anterior apartado, nos centramos ahora en concretar sus principales dificultades para la inserción laboral. Que existen muchos grupos de trabajadores a los que les cuesta el acceso y su mantenimiento en el ámbito laboral es por todos conocido[45], pero no es menos cierto que el colectivo de PCDM presenta singularidades pues sus dificultades «suelen ser de naturaleza y dimensiones múltiples, variables individualmente a lo largo del tiempo entre unas y otras personas y, en conjunto, bastante diferentes a las que afectan a los miembros de otros colectivos con dificultades de empleo»[46].

---

45. Sobre el particular, entre otros, OLARTE ENCABO, S., *Políticas de empleo y colectivos con especiales dificultades. La «subjetivación» de las políticas activas de empleo*, Thomson-Aranzadi, Cizur Menor (Navarra), 2008. También, GÓMEZ-MILLÁN HERENCIA, M. J., *Colectivos destinatarios de las políticas selectivas de empleo*, Ediciones Laborum, Murcia, 2011. Y, en fin, AA.VV., CACHÓN RODRÍGUEZ, L. (Dir.), *Colectivos desfavorecidos en el mercado de trabajo y políticas activas de empleo*, Colección Informes y Estudios, Serie Empleo, n.º 21, Ministerio de Trabajo y Asuntos Sociales, Madrid, 2004. Vid. también, el interesante artículo de AGUDO, A., «Es trabajo, no beneficencia. Los programas de inserción laboral de colectivos vulnerables son claves para su proyecto de vida», Elpais.com, 2 de junio de 2014, en el que se indica que un 27,3% de los ciudadanos en España están en riesgo de exclusión social o pobreza e identifica los colectivos de «ex reclusos, víctimas de violencia de género, personas con discapacidad, gitanos o inmigrantes» como los grupos de personas con serias dificultades para encontrar un empleo.
46. Seguimos en este punto básicamente lo establecido por LÓPEZ ÁLVAREZ, M., LAVIANA CUETOS, M., y GONZÁLEZ ÁLVAREZ, S., «Rehabilitación laboral y programas de empleo», en PASTOR, A., BLANCO, A., y NAVARRO, D., (Coords.), *Manual*

En conjunto, los obstáculos devienen del encadenamiento de distintos factores que se pueden agrupar didácticamente en los cinco bloques siguientes[47]:

1. EFECTOS DIRECTOS DE LA PROPIA ENFERMEDAD

Como se vio anteriormente, la enfermedad mental grave afecta habitualmente a áreas muy diversas de la persona, entre las que se encuentran al menos las cognitivas, perceptivas, afectivas y relacionales que producen alteraciones en distintos aspectos que tienen que ver con el empleo (habilidades sociales básicas para el trabajo como la puntualidad, ritmo de trabajo, calidad de la tarea, relaciones con los compañeros/as o superiores, etc.).

En cada persona puede tener un nivel o grado de impacto diferente, teniendo evoluciones habitualmente bastante diversas por lo que, en la mayoría de los casos, es difícil de predecir, lo que limita las posibilidades de una intervención preventiva mínimamente efectiva.

2. REPERCUSIONES DE LA ENFERMEDAD SOBRE LOS PRERREQUISITOS PARA EL TRABAJO

La enfermedad mental grave también afecta a la historia personal del sujeto y, al aparecer por regla general al final de la adolescencia y principios de la edad adulta, fundamentalmente tiene una incidencia muy negativa en las condiciones de formación y primeras experiencias laborales que son tan necesarias para una inserción laboral adecuada y predictores del mantenimiento de la persona en el mundo laboral.

---

de rehabilitación del trastorno mental grave, cit., p. 515. Preferimos esta división a la establecida por AUGUSTO COLIS, J., «Capítulo 3: problemática y dificultades para la inserción laboral de las personas con enfermedad mental crónica», en Rehabilitación Laboral de Personas con Enfermedad Mental Crónica: programas básicos de intervención, Cuadernos Técnicos de Servicios Sociales, Consejería de Servicios Sociales, Comunidad de Madrid, 2001, p. 47, que divide las dificultades en dos grandes grupos: las derivadas del prejuicio social y las de la propia enfermedad. Aunque coinciden prácticamente ambos trabajos, nos parece más didáctico el utilizado por LÓPEZ ÁLVAREZ et al. No obstante, añadimos el punto de las dificultades derivadas de las políticas institucionales establecido en su día por CARRERAS, P., «La adecuación de la formación y el empleo para personas con enfermedad mental», en Revista de la Asociación Madrileña de Rehabilitación Psicosocial, número monográfico de examen a la Rehabilitación Laboral, n.º 13, 2001, pp. 32-34 en la que incluimos algunos puntos que LÓPEZ ÁLVAREZ et al. incluían en el apartado de «barreras sociales».

47. LÓPEZ ÁLVAREZ, M., LAVIANA CUETOS, M., y GONZÁLEZ ÁLVAREZ, S., «Rehabilitación laboral y programas de empleo», cit., pp. 515-517.

Por tanto, la enfermedad mental grave daña, habitualmente, los procesos de aprendizaje y desempeño laboral y favorece el desarrollo de un conjunto de actitudes, valores y aspiraciones inadecuadas en relación con el empleo.

En fin, también se da el caso de PTMG con formación que no son capaces de afrontar un empleo propio de su profesión en la que se han preparado. Ejemplos de ello podrían ser aquellas personas que tienen que bajar sus expectativas «por no ser capaces de afrontar la responsabilidad y el estrés de empleos altamente cualificados (médicos, abogados, biólogos, etc.)»[48].

3. EFECTOS DE LA ATENCIÓN SANITARIA Y SOCIAL

Se incluyen aquí, por un lado, los efectos secundarios de la medicación que toman las personas con discapacidad mental, por otro, la ausencia para la gran mayoría de sujetos afectados por una enfermedad mental grave de estrategias de rehabilitación de destrezas laborales que ocasiona que se retarde la salida a empleo en el momento adecuado y, por último, las potenciales interferencias entre el horario laboral y el de atención sanitaria y social que repercutirá negativamente en el mantenimiento del trabajo.

4. BARRERAS SOCIALES

En este punto incluimos dos aspectos:

– Por un lado, el llamado «estigma social»[49], complejo entramado de actitudes sociales negativas que afecta de manera diferente, pero

---

48. SOBRINO CALZADO, T., «La Inserción Laboral de la persona con Enfermedad Mental Crónica», en *Revista de la Asociación Madrileña de Rehabilitación Psicosocial*, número monográfico de examen a la Rehabilitación Laboral, n.º 13, 2001, p. 13.

49. Al respecto, vid. el Informe del Parlamento Europeo sobre la salud mental [2008/2209 (INI)], de 28 de enero de 2009 que en su considerando «S» indica literalmente: «Considerando que la discriminación y la exclusión social que sufren las personas con problemas de salud mental y sus familias no son solo consecuencia de los trastornos mentales, sino también de su estigmatización, rechazo y marginación, y que son factores de riesgo que oponen obstáculos a la petición de ayuda y al tratamiento». Vid. también, entre otros, el trabajo de MUÑOZ LÓPEZ, M., PÉREZ SANTOS, E., y GUILLÉN, A. I., «El estigma de la enfermedad mental: definición e intervención», en PASTOR, A., BLANCO, A., y NAVARRO, D., (Coords.), *Manual de rehabilitación del trastorno mental grave*, cit., pp. 687-711. Consúltese igualmente, VALDÉS ALONSO, A., *Despido y protección social del enfermo bipolar...*, cit., pp. 76-84. También, en el artículo «Es trabajo, no beneficencia. Los programas de inserción laboral de colectivos vulnerables son claves para su proyecto de vida», Elpais.com, 2 de junio de 2014, se

siempre negativa, tanto a los propios sujetos, a su familia, a los profesionales del sector y al resto de agentes sociales implicados en el empleo de este colectivo (empresarios, sindicatos, compañeros/as de trabajo, responsables de empresas de formación, etc.)[50].

– Y, por otro, el papel de la familia, que puede obstaculizar la inserción laboral por diversos motivos (experiencia negativa respecto a trabajos anteriores, desconfianza de las aptitudes de su familiar, «sobrevaloración de los inconvenientes de trabajar e infravaloración de sus ventajas», miedo a posibles recaídas, y a cambios en el entorno familiar si su familiar con trastorno mental llega a trabajar, etc.[51].

5. DIFICULTADES DERIVADAS DE LAS POLÍTICAS INSTITUCIONALES

Aquí se incluyen cuatro tipos de problemas interrelacionados:

– El efecto desincentivador de determinadas políticas sociales, como es el caso de las pensiones [contributivas, no contributivas y asistenciales], que funcionan habitualmente como un factor disuasorio, competitivo frente al empleo. Ello se tratará en el capítulo correspondiente a la protección social.

– La infradotación de los recursos materiales y humanos destinados a apoyar el empleo de las PCDM que lleva, entre otros efectos, a que se conozcan poco las necesidades específicas de este colectivo y provoca en la práctica que sean excluidos no sólo de los recursos de empleo «normalizados» sino incluso de programas de inserción de colectivos con dificultades de inserción laboral que no se arriesgan

---

habla del estigma de las PCDM: «Hay temores a contratar a un enfermo mental (...) porque creen que su estado físico no va a responder a las exigencias del trabajo».

50. Vid. SOBRINO CALZADO, T., «La Inserción Laboral de la persona con Enfermedad Mental Crónica», cit., p. 13, cuando indica: «Los empresarios, como parte de esta sociedad, también tienen una imagen negativa de este colectivo, y sus miembros son considerados incapaces o demasiado problemáticos para ejercer como trabajadores productivos en el mercado laboral ordinario».

51. SOBRINO CALZADO, T., «La Inserción Laboral...», cit., pp. 13-14. A este respecto, vid. MUÑIZ, E., y NICOLÁS, M., «Capítulo 12: intervención con familias en el proceso de rehabilitación laboral», en *Rehabilitación Laboral de Personas con...*,cit., p. 133, que indican cómo hay estudios que han demostrado «que aquellas personas cuyas familias preferían que realizara actividades ocupacionales y cobrara una pensión se mantenían menos en el puesto de trabajo que aquellas que vivían en un ambiente potenciador de la actividad laboral y la resolución de problemas».

a su intermediación, por su desconocimiento de las peculiaridades de este tipo de personas.

– La falta de recursos formativos y laborales específicos para el colectivo.

– Políticas institucionales que subvencionan principalmente cursos cortos de formación para desempleados y en mucha menor medida cursos de especialización para proseguir con su itinerario formativo que facilite su inserción laboral.

Pero junto con estas dificultades de las PCDM expuestas, existen evidencias científicas tanto de los beneficios del trabajo para la evolución de la enfermedad mental grave, como de los principales apoyos que precisan para su inserción laboral exitosa. Ambos aspectos pasamos a desarrollarlos a continuación.

VII.   EFECTOS BENEFICIOSOS DEL TRABAJO PARA LAS PCDM

El trabajo tiene significados positivos para toda persona[52] y, en concreto, atesora beneficios comprobados científicamente para las personas que sufren una enfermedad mental grave[53]. Resumidamente, se pueden considerar en tres niveles[54]:

Como *actividad productiva*, sujeta a algún tipo de organización y cooperación entre personas, puede servir por sí misma como estímulo para el desarrollo cognitivo, a la vez que ayuda a estructurar y organizar la vida cotidiana, así como a desarrollar y reforzar algunas habilidades básicas para la misma. Pero también funciona como vehículo de relaciones sociales, dentro y fuera del ámbito laboral estricto.

Como *actividad retribuida*, tener un empleo permite en nuestra sociedad disponer de una fuente de ingresos que ayuda a mantener la independen-

---

52. Vid. al respecto, SALANOVA, M., GRACIA, F. J., y PEIRÓ, J. M., «Significado del trabajo y valores laborales», en PEIRÓ, J. M., y PRIETO, F. (Eds.), *Tratado de Psicología del Trabajo. Vol. II: Aspectos psicosociales del trabajo*, Síntesis, Madrid, 1996. También, ELS, C., KUNYK, D., HOFFMAN, H., y WARGON, A., «Workplace Functional Impairment Due to Mental Disorders», cit., p. 342.

53. HENDERSON, M., et. al., «Work and common psychiatric disorders», J. R. Soc. Med., n.º 104, 2011, p. 199 (versión electrónica), «Estar en el trabajo se asocia con una menor prevalencia de la depresión y una menor incidencia de suicidio, mientras que estar en desempleo de larga duración conlleva estos riesgos».

54. Vid. LÓPEZ ÁLAVAREZ, M., LAVIANA CUETOS, M., y GONZÁLEZ ÁLVAREZ, S., «Rehabilitación laboral y programas de empleo», en PASTOR, A., BLANCO, A., y NAVARRO, D., (Coords.), *Manual de rehabilitación del trastorno mental grave*, cit., pp. 514-515.

cia económica y la autonomía social imprescindibles para la permanencia activa en la comunidad y el ejercicio de derechos ciudadanos básicos[55].

Además, como *actividad socialmente valorada*, el empleo contribuye significativamente a aumentar la autoestima y a construir su autoimagen de lo que realmente puede hacer, ayudando a tener aspiraciones más ajustadas lo que provocará que la persona se inserte en un círculo virtuoso pues intentará hacer sólo lo que está a su alcance, normalmente con resultado satisfactorio y ello redundará en que se encuentre mejor de su patología y pueda, incluso, llegar a «recuperarse». Con este término de «recuperación» (en inglés *recovery*), se pone de manifiesto una nueva forma de entender los problemas de salud mental. Se trata de que la persona más que curarse, se recupere, esto es, pueda volver a tener un sentido de su vida, con independencia de la enfermedad mental grave y sus síntomas y consecuencias, incluso aunque éstos se mantengan y no remitan totalmente[56]. La meta sería que la PCDM pueda mantener, aumentar, mejorar y aprovechar al máximo su capacidad funcional que pese a la patología mental sigue atesorando. En fin, considerar a la persona como ciudadano y no tanto como un enfermo caracterizado por déficits, discapacidades y síntomas[57].

En conclusión, en relación a cómo afecta la realización de un trabajo para las personas con enfermedad mental grave «se puede afirmar que, aunque no estén claras las repercusiones sobre la sintomatología positiva (no parece ocasionar ni mejorías ni descompensaciones) y negativa (parece haber en ocasiones ligeras mejorías), sí se constatan repercusiones positivas en áreas como el funcionamiento social, el grado de satisfacción, la autonomía personal y en definitiva, la calidad de vida»[58]. Para entender esta aseveración es necesario tener en cuenta que la sintomatología

55. En el mismo sentido, MONEREO PÉREZ, J. L., y MOLINA NAVARRETE, C., *El derecho a la renta de inserción. Estudio de su régimen jurídico*, Editorial Comares, Granada, 1999, pp. 425-426, «el trabajo, en nuestras sociedades, seguiría siendo el instrumento por excelencia para adquirir derechos y deberes respecto a la sociedad y de que ésta los adquiera respecto al individuo».

56. Existe ya numerosísima bibliografía al respecto. Vid., entre otros, LIBERMAN, R. P., y KOPELWICZ, A., «Un enfoque empírico de la recuperación de la esquizofrenia: definir la recuperación e identificar los factores que pueden facilitarla», en *Rehabilitación Psicosocial*, 1(1), 2004, pp. 12-29.

57. VÁZQUEZ VALVERDE, C., y NIETO MORENO, M., «Rehabilitación en salud mental: viejos problemas y nuevas soluciones», en PASTOR, A., BLANCO, A., y NAVARRO, D., (Coords.), *Manual de rehabilitación del trastorno mental grave*, cit., especialmente pp. 74 y 75.

58. LÓPEZ ÁLVAREZ, M., LAVIANA CUETOS, M., y GONZÁLEZ ÁLVAREZ, S., «Rehabilitación laboral y programas de empleo», en PASTOR, A., BLANCO, A. y NAVARRO, D., (Coords.), *Manual de rehabilitación del trastorno mental grave*, cit., p. 524.

psicótica se divide habitualmente en positiva y negativa según esté por exceso o por encima (positivo) o por debajo o por defecto (negativo) de un funcionamiento mental normal. A su vez, debemos tener en cuenta que existen síntomas clínicos, narrados por el paciente, y signos clínicos, observables directamente por el terapeuta. Por tanto, se podrá dar sintomatología positiva (delirios y alucinaciones), signos positivos (conductas incongruentes tanto afectivas, como lingüísticas, como corporales) y signos negativos (conductas defectuales: pobreza de la acción, inhibición, retraimiento social y afectivo)[59].

Insistimos, pues, en la idea esencial de que la inserción laboral de PCDM lejos de ser un agravante para el empeoramiento en su patología, pensamiento que está socialmente extendido, redunda en una mejora del funcionamiento de la persona y a la par de conseguir que la PTMG se encuentre mejor, hace que tenga menos ingresos psiquiátricos, consuma a larga una menor cantidad de fármacos y dependa en menor medida de prestaciones públicas para su subsistencia, cuestiones todas ellas con un impacto económico evidente e importante[60].

VIII. PRINCIPALES APOYOS PARA LA INSERCIÓN LABORAL Y EL MANTENIMIENTO DEL PUESTO DE TRABAJO PARA LAS PCDM

Dados los beneficios recién expuestos en el apartado anterior que el trabajo tiene para las personas que sufren una enfermedad mental grave, es menester analizar cuáles son los apoyos más importantes que este colectivo precisa para superar o paliar su discapacidad y conseguir su efectiva inserción laboral.

Podríamos indicar que serían los siguientes[61]:

---

59. Sobre el tema, vid. BLANCO DE LA CALLE, A., «El enfermo mental con discapacidades psicosociales», en PASTOR, A., BLANCO, A., y NAVARRO, D., (Coords.), *Manual de rehabilitación del trastorno mental grave*, cit., pp. 86-87.

60. No obstante, es posible que haya personas que no tengan, por su patología mental, capacidad de trabajo y ello será importante a efectos de las prestaciones públicas que pudiera percibir, señaladamente la pensión de Incapacidad Permanente Absoluta que no debe denegarse o no renovarse sistemática y automáticamente por los beneficios terapéuticos del trabajo para las PCDM. Sobre el tema infra el capítulo III de este trabajo.

61. De elaboración propia basada en nuestra experiencia profesional en la atención a las PCDM trabajando como parte de un equipo multidisciplinar de atención social y tras las lecturas técnicas en especial de SÁNCHEZ RODRÍGUEZ, Ó. (Coord.), *Desarrollo profesional e inserción laboral en personas con enfermedad mental*, cit. y AA.VV., *Rehabilitación laboral de personas con enfermedad mental crónica: programas básicos de intervención*, Consejería de Servicios Sociales, Comunidad de Madrid, Madrid, 2001.

1. *Cuando surge la enfermedad*:

   a) Continuar o reengancharse, en cuanto sea posible, a una actividad formativa. Para ello, quizá fuera interesante una Orientación Profesional[62].

   b) Mantener el grupo de amistades.

   c) Creer, tanto la propia persona, como su familia y, por supuesto, el equipo de salud mental que le atiende, que puede llegar a trabajar o, en su caso, seguir haciéndolo.

2. *Previos a la inserción laboral*:

   a) Tener un seguimiento muy individualizado de su evolución y tener acceso, si lo precisa, a un servicio social de rehabilitación vocacional-laboral[63].

   b) Contar con apoyos económicos, a través de prestaciones sociales públicas, durante el tiempo que dura el proceso de recuperación de la enfermedad mental grave. Dichas prestaciones deben estar diseñadas para acompañar hacia el empleo y no concebirse para que puedan sustituirlo indefinidamente.

   c) Poder realizar prácticas prelaborales, previas a la inserción laboral, que sirvan de transición al trabajo remunerado.

   d) Disponer de empresas sociales, más adaptadas a personas con problemas de empleabilidad, que sirvan bien de puente para la inserción en el mundo laboral ordinario, bien de «estación de llegada», según la capacidad laboral que presente la persona.

   e) Conocimiento por parte de los departamentos de selección de las empresas de la realidad y necesidades de las personas con discapacidad en general y mental en particular. Sobre todo, para la fase de la entrevista personal.

---

62. En el mismo sentido, el art. 17.2.b) LGD establece «la orientación profesional» dentro de los Apoyos para la actividad profesional» para las PCD. Extensamente sobre el tema vid. SÁNCHEZ RODRÍGUEZ, Ó., «Los procesos de orientación profesional en personas con enfermedad mental», en SÁNCHEZ RODRÍGUEZ, Ó. (Coord.), *Desarrollo profesional e inserción laboral en personas con enfermedad mental*, cit., pp. 299-318.

63. Sobre la rehabilitación laboral para PCDM, vid. el art. 27.1.k) de la Convención que indica: «Promover programas de rehabilitación vocacional y profesional, mantenimiento del empleo y reincorporación al trabajo dirigidos a personas con discapacidad». Asimismo, extensamente, VALMORISCO PIZARRO, S., *Políticas públicas de rehabilitación laboral para personas con enfermedad mental. Los Centros de Rehabilitación Laboral (CRL) de la Comunidad de Madrid (2008-2012)*, Tesis Doctoral inédita, Getafe (Madrid), enero 2015.

3. *Durante la relación laboral*:

a) La necesaria adaptación psicosocial de su puesto de trabajo.

b) Tener acceso a una vigilancia de la salud periódica que tenga en cuenta su patología y necesidades pero que no impida realizar actividades que sí podría llegar a ejecutar.

c) Tener la posibilidad de que un compañero de trabajo pueda tutorizarle durante los primeros tiempos en la empresa y, de esta manera, lograr una mejor adaptación al cambio que supone su nuevo trabajo y posibilitar su mantenimiento.

d) Disponer, si lo necesita, de apoyos en el propio puesto de trabajo por parte de un preparador laboral especializado[64].

e) Que profesionales especializados puedan realizar un seguimiento laboral para conseguir el ajuste entre la persona y su puesto de trabajo y para evitar riesgos de abandono del trabajador o despido por parte del empresario[65].

f) Necesidades de seguimiento médico y social de su patología, siendo en ocasiones necesario que sea dentro del horario laboral.

g) Para el caso de que tenga recaídas en su patología que conlleven la incapacidad temporal o permanente de trabajar, tener acceso, si lo necesita, a un servicio social rehabilitación vocacional-laboral que pueda servirle para recuperar las destrezas laborales necesarias para reincorporarse al mundo laboral.

En el presente trabajo desarrollaremos únicamente los apoyos estrictamente de Protección Social de la lista del apartado anterior. En concreto, los puntos 2 b. (apoyos económicos a través de prestaciones públicas durante el tiempo que dure su recuperación), y 3 g. (Incapacidad Temporal y Permanente de las PCDM).

Antes de entrar en el detalle de las medidas de Atención Social exis-

---

64. Vid. SÁNCHEZ RODRÍGUEZ, D., y CASTELLANOS ALCÁZAR, L., «Ergonomía psicosocial. Adaptación de puestos de trabajo y sistemas de apoyo para trabajadores con enfermedad mental: empleo con apoyo», en SÁNCHEZ RODRÍGUEZ, Ó. (Coord.), *Desarrollo profesional e inserción laboral en personas con enfermedad mental*, cit., pp. 421-453.

65. Vid. DE FUENTES G.ª-ROMERO DE TEJADA, C., y RODRÍGUEZ DE VELASCO, M., «Los procesos de búsqueda de empleo», en SÁNCHEZ RODRÍGUEZ, Ó. (Coord.), *Desarrollo profesional e inserción laboral en personas con enfermedad mental*, cit., pp. 414-415.

tentes y su impacto en la inclusión laboral de las PCDM estudiaremos la naturaleza jurídica de las medidas contra la discriminación y para la consecución de una igualdad real y efectiva del colectivo.

Capítulo II

Igualdad material y derecho a la no discriminación de las personas con discapacidad mental

«Aprender a vivir es aprender a aceptar la imperfección y, a veces, a sobrellevarla»

(Montaigne)

I.   INTRODUCCIÓN

La piedra angular del concepto de discapacidad son las barreras so-ciales existentes para con las personas que presentan algún tipo de limi-tación o deficiencia física, mental, sensorial o intelectual y, en esta misma línea, su necesidad de apoyos para superar dichos obstáculos que les per-mitan poder llevar una vida lo más normalizada posible, equiparándola al resto de personas de la sociedad. Siendo ello así, el análisis jurídico de esta realidad debe llevar a preguntarse sobre la naturaleza jurídica de estas medidas de apoyo que en nuestros ordenamientos jurídicos español y europeo se han venido concretando en medidas para lograr la igualdad de oportunidades y de resultado, no discriminación, acción positiva y ajustes razonables. En este capítulo las analizaremos con cierto detalle, si bien ya existe numerosa y autorizada doctrina constitucional y de nuestra disciplina que se ha encargado del particular[1]. A continuación, en capítulo siguiente, desgranaremos las principales medidas de apoyo que precisan las PCDM desde la óptica de la Protección Social.

Si partimos de la noción que la discapacidad supone, tal como indica la letra «Y» del Preámbulo de la Convención de Naciones Unidas sobre los Derechos de las PCD, una «profunda desventaja social», lo cierto es que precisa la adopción de medidas de todo tipo que tengan como finalidad revertir esta situación y conseguir la igualdad de las personas con discapacidad. Nos situamos pues, como es sabido, en el ámbito del artículo 9.2 de nuestra Constitución española que recoge un mandato a los poderes públicos para que remuevan todos los obstáculos necesarios para conseguir la igualdad real y efectiva entre los ciudadanos, lo que supone en palabras de BAYLOS GRAU un verdadero compromiso para los poderes públicos para lograr «la gradual nivelación» de las situaciones de desigualdad económico-social que caracterizan nuestra sociedad moderna[2]. En palabras de nuestro TC en una sentencia de sus primeros años, el artículo 9.2 CE «contiene un mandato a los poderes públicos para que promuevan las condiciones para que la libertad e igualdad del individuo y de los grupos en que se integran sean reales y efectivos, y para que remueva los obstáculos que impidan o dificulten su plenitud, puede actuar como un principio matizador de la igualdad formal consagrada en el art. 14 de

---

1. La doctrina científica y nuestro Tribunal Constitucional han debatido intensamente sobre el alcance del artículo 14 CE y su naturaleza jurídica como valor fundamental, principio y derecho subjetivo. Uno de los estudios más significativos y ya clásico es el de RODRÍGUEZ-PIÑERO Y BRAVO-FERRER, M. y FERNÁNDEZ LÓPEZ, M. F., *Igualdad y discriminación*, Tecnos, Madrid, 1986. Existe asimismo numerosa doctrina constitucionalista que se han encargado tanto del principio de igualdad como de las acciones positivas. Vid. entre otros, SUAY RINCÓN, J., *El principio de igualdad en la justicia constitucional*, Instituto de Estudios de Administración Local, Madrid, 1986; GARCÍA MORILLO, J., «La cláusula general de igualdad», en AA.VV., *Derecho constitucional volumen I. El ordenamiento constitucional. Derechos y deberes de los ciudadanos*, Tirant lo Blanch, Valencia, 2003; RUIZ MIGUEL, A., «Discriminación inversa e igualdad», en *El concepto de igualdad*, Editorial Pablo Iglesias, Madrid, 1994 y, en fin, GIMÉNEZ GLÜCK, D., *Una manifestación polémica del principio de igualdad: acciones positivas moderadas y medidas de discriminación inversa*, Tirant lo Blanch, Valencia, 1999.
2. BAYLOS GRAU, A., «Igualdad, uniformidad y diferencia en el Derecho del Trabajo», *Revista de Derecho Social*, número 1, 1998, p. 19.

la Constitución» (STC 98/1985, F.J. 9 *in fine*)[3]. Tal precepto, pues, verdadero exponente de la proclamación constitucional del Estado Social de Derecho del primer artículo de nuestra Carta Magna[4], resulta ser, como nos recuerda GIMÉNEZ GLÜCK, una opción política que propicia un ámbito de tutela cuyo objetivo no es otro que abolir las desigualdades materiales entre personas y colectivos, pudiéndose dispensar además «un trato formalmente desigual a favor de los desfavorecidos»[5]. Como ya dijera ESTEBAN LEGARRETA «la cláusula de Estado social constituye un elemento valorativo e interpretativo de primer orden en el contexto del desarrollo normativo del derecho al trabajo de las personas con discapacidad»[6].

No se trata de conseguir la igualdad absoluta entre todas las personas pues ello además de ser una quimera no sería beneficioso socialmente. De hecho, como se sabe, en nuestro Derecho, tal y como ha sido interpretado por nuestros más altos tribunales, se permiten las diferencias de trato que tengan una justificación objetiva, razonable y proporcional[7]. En efecto, nuestro Tribunal Supremo entiende entre otras en su sentencia de unificación de doctrina de 29 de enero de 2001[8], que se deben vetar como discriminatorios sólo los factores de diferenciación especialmente recha-

---

3.   Tal como indica ESTEBAN LEGARRETA, R., *Contrato de Trabajo y discapacidad*, cit., p. 78, «el artículo 9.2 CE es un precepto con una fuerte orientación hacia el logro de una igualdad sustancial, no sólo de los individuos, sino también –y sobre todo– de aquellos grupos y colectivos que padecen algún tipo de déficit en el disfrute de determinados derechos».

4.   La conexión del artículo 9.2 CE y la fórmula del Estado social ha sido puesta de relieve por nuestro Tribunal Constitucional, entre otras, en la STC 269/1994, de 3 de octubre, fundamento jurídico 4.º. En el mismo sentido, MARTÍNEZ-PUJALTE, A. L., *La garantía del contenido esencial de los derechos fundamentales*, prólogo de A. Ollero, Centro de Estudios Constitucionales, Madrid, 1997, p. 85: el artículo 9.2 CE «representa la concreción inmediata de las exigencias implícitas en el Estado social de Derecho proclamado en el art. 1.1».

5.   GIMÉNEZ GLÜCK, D., «Estado social y acciones positivas: especial consideración de las personas mayores y de las personas con discapacidad», en DÍAZ PALAREA, M. D., y SANTANA VEGA, D. M. (coord.), *Marco jurídico y social de las personas mayores y de las personas con discapacidad*, Editorial Reus, Madrid, 2008, pp. 39 y siguientes.

6.   ESTEBAN LEGARRETA, R., *Contrato de Trabajo y discapacidad*, cit., pp. 75-76.

7.   MONTOYA MELGAR, A., *Derecho del Trabajo*, cit., p. 312. Este tema ha sido estudiado por la doctrina entre la que merece resaltar a RODRÍGUEZ-PIÑERO Y BRAVO-FERRER y FERNÁNDEZ-LÓPEZ, M. F., *Igualdad y discriminación*, cit., pp. 38 y 158 y ss. que fueron de los primeros que entendieron que todas las desigualdades no generan discriminación sino sólo aquellas marcadamente «odiosas» o reprobables. También, GIMÉNEZ GLÜCK, D., *Juicio de igualdad y Tribunal Constitucional*, Bosch, Barcelona, 2004, donde en diferentes capítulos va desgranando el juicio de igualdad. Más específico sobre Igualdad y discapacidad, vid. ESTEBAN LEGARRETA, R., *Contrato de Trabajo y discapacidad*, cit., pp. 85 y ss.

8.   RJ 2001, 2069.

zables y, por su parte, nuestro TC en sus SSTC 76/1986, de 9 de junio, la 128/1987, de 16 de julio o la 214/2006, de 3 de julio establece que la diferencia de trato no admisible es la que está desprovista de una justificación objetiva y razonable o cuando las medidas diferenciadoras son inapropiadas o carecen de proporcionalidad. Traemos específicamente un extracto de la STC 161/2004, de 4 de octubre, (F.J. 3) por su labor de síntesis: «Como regla general, el principio de igualdad de trato exige que a iguales supuestos de hecho se apliquen iguales consecuencias jurídicas y, en consecuencia, veda la utilización de elementos de diferenciación que quepa calificar de arbitrarios o carentes de una justificación razonable. Lo que prohíbe el principio de igualdad es, en suma, la desigualdad que resulte artificiosa o injustificada por no venir fundada en criterios objetivos y razonables, según criterios o juicios de valor generalmente aceptados. También es necesario para que sea constitucionalmente lícita la diferencia de trato, que las consecuencias jurídicas que se deriven de tal distinción sean proporcionadas a la finalidad perseguida, de suerte que se eviten resultados excesivamente gravosos o desmedidos. En resumen, el principio de igualdad, no sólo exige que la diferencia de trato resulte objetivamente justificada, sino también que supere un juicio de proporcionalidad en sede constitucional sobre la relación existente entre la medida adoptada, el resultado producido y la finalidad pretendida...».

Por tanto, las diferencias de trato que atesoran una justificación objetiva, razonable y proporcional no redundan en perjuicio de la dignidad de la persona, fundamento de nuestro Ordenamiento jurídico *ex* art. 10 CE[9] y, por ello, tienen un perfecto encaje en nuestra Constitución. Ahora bien, lo que se propugna en nuestra Ley Fundamental es un derecho subjetivo constitucional de toda la ciudadanía no sólo a ser tratado de forma sustancialmente igual –que también– (igualdad *en* la Ley, *ante* la Ley y en la *aplicación* de la Ley)[10], sino a que se tomen las medidas pertinentes para

---

9. Sobre la Dignidad, recogemos dos interesantes ideas expuestas por ESTEBAN LEGARRETA, R., *Contrato de Trabajo y discapacidad,* cit., pp. 80-81. Por un lado, cuando cita a VON MUNCH quien afirma: «A todas luces es imposible determinar de modo satisfactorio qué es la dignidad de la persona humana, mientras que sí es posible fijar cuando se está vulnerando». Por otro, cuando sigue a MUÑOZ MACHADO quien otorga a la dignidad de la persona el papel de clave de bóveda en el análisis de la suficiencia y corrección de las políticas públicas de promoción de los derechos de las personas con discapacidad.

10. VALDÉS DAL-RÉ, F., «Del principio de igualdad formal al derecho material de no discriminación», en VALDÉS DAL-RÉ, F., y QUINTANILLA NAVARRO, B. (Dirs.), *Igualdad de género y relaciones laborales*, Editorial Ministerio de Trabajo e Inmigración-Fundación Francisco Largo Caballero, Madrid, 2008, p. 20, citado por RUIZ CASTILLO, M. M., *Igualdad y no discriminación. La proyección sobre el tratamiento laboral de la discapacidad*, Editorial Bomarzo, Albacete, 2010, p. 11. En esta última obra,

conseguir la igualdad de oportunidades real y efectiva[11] y, más aún, para los supuestos que ello incluso no sea suficiente para la equiparación sustancial de ciertos colectivos históricamente discriminados o segregados, como es el caso del compuesto por las PCD, un derecho de acción positiva y de discriminación «inversa» e, incluso, de igualación material caso por caso (igualdad en tanto que justicia social)[12]. Así lo ha indicado nuestro TC entre otras en su sentencia 62/2008, de 26 de mayo, en la que indica: «en último extremo, la situación de desventaja relativa de determinadas personas en el mercado de trabajo en razón de sus circunstancias físicas o de salud y eventual riesgo de exclusión social constituyen problemas cuya atención corresponde a los poderes públicos, de conformidad con el art. 9.2 CE, a través, entre otros, del conjunto de medidas de política sanitaria, de formación y readaptación profesionales y, en su caso, de protección social a las que se refieren los arts. 43.2, 40.2 y 41 CE, instrumentos esenciales para hacer realidad el modelo de «Estado social y democrático de Derecho» que nuestra Constitución impone (art. 1.1 CE)» (F.J. 7). En resumen, dado que como indica RUBIO LLORENTE la función del Derecho y sus normas es establecer diferencias[13], lo que se postula es ser tratado de forma igualitaria ante situaciones similares y, para casos en los que tal similitud no se da, asegurar las mismas oportunidades para alcanzar la igualdad real. Y para supuestos ya muy concretos en los que hay una situación de segregación histórica de un colectivo, como ocurre con las PCD y muy especialmente con las que padecen una discapacidad mental,

---

vid. especialmente las páginas 10 y 11 donde indica: «La igualdad fue concebida como garantía burguesa de la inexistencia de privilegios a través de la generalidad de las normas (igualdad ante la ley o principio de legalidad dirigido especialmente a los aplicadores del Derecho) y más tarde como exigencia propia del contenido regulativo sin excepciones de la propia ley (igualdad en la ley), que pasa a convertirse así en límite infranqueable a la labor del legislador como prohibición genérica de distinciones irrazonables (desigualdad de trato injustificada) y, por ello, lesivas de un mandato genérico y todavía formal (igualdad en la ley)».

11. Recordemos la STC 49/1982, de 4 de julio, cuando afirma que «La igualdad jurídica o la igualdad ante la Ley, no comporta necesariamente una igualdad material o igualdad económica real y efectiva». En el mismo sentido, QUINTANILLA NAVARRO, B., «Igualdad de trato y no discriminación en función de la discapacidad», en AA.VV., *Relaciones laborales de las personas con discapacidad*, cit., p. 221, cuando indica: «lejos de proclamar la igualdad de todos como máximo exponente del modelo de justicia, la Constitución "toma partido" por quienes se encuentren en dicha de situación [de desventaja] y coloca el compromiso constitucional con ellos entre las cuestiones que definen la identidad del nuevo Estado Social».

12. TOMEI, M., «Análisis de los conceptos de discriminación y de igualdad en el trabajo», *Revista Internacional del Trabajo,* 2003, número 4, pp. 450-457.

13. RUBIO LLORENTE, F., «La igualdad en la jurisprudencia del Tribunal Constitucional. Introducción», en *Revista Española de Derecho Constitucional*, n.º 31, p. 16.

se deben incorporar un plus a través de medidas de acción positiva de diversa índole.

Veamos las diferentes posibilidades que, a modo de peldaños de escalera, pueden darse en el ámbito de la igualdad de las PCD y, más en concreto, de las PCDM. En todo caso, debe quedar claro que nos alineamos con esta posición jurídica con el sector de la doctrina que entiende la existencia de un derecho subjetivo fundamental a una actuación positiva del Estado para crear las condiciones que hagan posible el ejercicio efectivo de los derechos fundamentales por los ciudadanos que, siguiendo a MARTÍNEZ-PUJALTE, «implica superar decididamente la concepción tradicional de los derechos fundamentales como meros límites del poder estatal» y comprende dos aspectos esenciales: «la eficacia de los derechos fundamentales en las relaciones entre particulares [la conocida problemática de la *Drittwirkung*] y la dimensión prestacional de los derechos»[14]. Esto es, entender «los derechos sociales como derechos exigibles», parafraseando el título de la obra clave en la materia de ABRAMOVICH y COURTIS[15] y concebir la posibilidad de una «inconstitucionalidad por omisión» en el sentido que «el principio de igualdad material no sólo justifica las acciones positivas, sino que en algunos casos las impone: serían obligatorias, concretamente, aquellas acciones positivas necesarias para garantizar el ejercicio efectivo de los derechos fundamentales» y si tales medidas obligatorias no se dan en la práctica, existe una inconstitucionalidad por inactividad. Veamos cuáles serían esas medidas que pueden necesitarse para la equiparación efectiva y material de las PCD.

II. MECANISMOS DE GARANTÍA DEL DERECHO A LA NO DISCRIMINACIÓN. UNA PRIMERA APROXIMACIÓN

Para lograr compensar las desventajas de las PCD y lograr su igualdad efectiva y real se han establecido una serie de normas comunitarias y nacionales que han sido desarrolladas prioritariamente por la labor jurisprudencial del TJUE a modo de peldaños de escalera que pasamos a enunciar esquemáticamente para ayudar a su exposición, sin perjuicio de ser desarrolladas en los epígrafes posteriores.

1.º) Lo primero se trataría de conseguir la igualdad de oportunidades

---

14. Vid. MARTÍNEZ-PUJALTE, A. L., y DE DOMINGO, T., *Los derechos fundamentales en el sistema constitucional. Teoría general e implicaciones prácticas*, Editorial Comares, Granada, 2011, especialmente, pp. 139 y siguientes, y las páginas 107 y ss. que se encargan de estudiar en detalle la Drittwirkung.

15. ABRAMOVICH, V. y COURTIS, C., *Los derechos sociales como derechos exigibles*, Prólogo de Luigi Ferrajoli, Editorial Trotta, Madrid, 2002.

de las PCD a través de la eliminación de las conductas que perjudican directa o indirectamente a dichas PCD por su condición de tales. Para ello se ha previsto legalmente la prohibición de la discriminación directa, de la indirecta, del acoso por razón de discapacidad, de las instrucciones para discriminar y las discriminaciones por asociación (artículos 2 y 35.7 de nuestra LGD)[16].

Gráficamente se trataría de poner en el mismo punto de partida a todas las personas de la sociedad, proscribiendo los comportamientos que permitirían rechazar a las personas de colectivos vulnerables y, en nuestro caso, a las PCD.

2.°) Pero como estas prohibiciones no son suficientes para traer consigo la igualdad real se deben habilitar otras medidas de igualdad de resultado por medio de medidas de acción positiva y de discriminación inversa. Las primeras, las de acción positiva, consisten en desarrollar actuaciones públicas que no perjudican a nadie (ayudas, subvenciones, desgravaciones fiscales serían ejemplos de ello). Estas medidas estarían contempladas en los artículos 2.g), 67 y 68 LGD.

Las segundas, las llamadas de discriminación inversa, son aquellas en las que en una determinada circunstancia se discrimina favorablemente al colectivo que tiene dificultades de inserción sociolaboral (mujeres, PCD, exreclusos, etc.). Ejemplo de estas medidas podrían ser las cuotas de reserva o la elección de un candidato de estos colectivos en detrimento de otra persona sin dificultades de inclusión laboral. Como se puede ver, en estas medidas sí hay o potencialmente las puede haber, persona o perso-

---

16. Artículo 2 LGD: Definiciones. «c) Discriminación directa: es la situación en que se encuentra una persona con discapacidad cuando es tratada de manera menos favorable que otra en situación análoga por motivo de o por razón de su discapacidad.
d) Discriminación indirecta: existe cuando una disposición legal o reglamentaria, una cláusula convencional o contractual, un pacto individual, una decisión unilateral o un criterio o práctica, o bien un entorno, producto o servicio, aparentemente neutros, puedan ocasionar una desventaja particular a una persona respecto de otras por motivo de o por razón de discapacidad, siempre que objetivamente no respondan a una finalidad legítima y que los medios para la consecución de esta finalidad no sean adecuados y necesarios.
e) Discriminación por asociación: existe cuando una persona o grupo en que se integra es objeto de un trato discriminatorio debido a su relación con otra por motivo o por razón de discapacidad.
f) Acoso: es toda conducta no deseada relacionada con la discapacidad de una persona, que tenga como objetivo o consecuencia atentar contra su dignidad o crear un entorno intimidatorio, hostil, degradante, humillante u ofensivo».
Artículo 35 LGD: Garantías del derecho al trabajo. «7. Se considerará igualmente discriminación toda orden de discriminar a personas por motivo o por razón de su discapacidad».

nas que salen perjudicadas. En nuestro Ordenamiento Jurídico se recogen en los artículos 67 y 68 LGD y 17.2, 3 y 4 ET.

Con las medidas previstas en este peldaño y siguiendo con el ejemplo gráfico del inciso anterior, se pretende que las PCD no sólo estén en la misma línea de salida que el resto de la sociedad sino habilitar apoyos para que puedan caminar y llegar a la meta a la par que el resto de ciudadanos. Si no existieran estas medidas previstas en este segundo escalón, no se conseguiría en la práctica de manera efectiva la igualdad real de las PCD.

3.º) Por último, cuando todas las acciones anteriores no son suficientes en un caso concreto, se podrían establecer los denominados «ajustes razonables».

Mientras que las medidas indicadas en los escalones 1.º y 2.º son de de carácter general para todas las PCD o, al menos, para uno de sus colectivos integrantes (PCD física, sensorial, mental o intelectual), con los «ajustes razonables» nos situamos en un supuesto de hecho particular, en un caso concreto que debe adaptarse o sufrir una modificación o variación para con ello garantizar que pueda ser ejercido por una PCD en igualdad de condiciones que el resto de la sociedad.

Su regulación jurídica está situada en el artículo 2 de la Convención y 2.m), 63 y 66 de nuestra LGD.

Siguiendo nuestro ejemplo gráfico, en este último peldaño de la escalera se sitúan las medidas específicas para un caso concreto para lograr que una PCD pueda ejercer, para lo que ahora nos importa, su derecho al trabajo en igualdad de condiciones que el resto de personas sin discapacidad.

III. EL TRATO DESIGUAL DE LOS DESIGUALES: LAS MEDIDAS DE IGUALDAD DE OPORTUNIDADES Y NO DISCRIMINACIÓN

Este conocido apotegma de «tratar igual a los iguales y desigual a los desiguales» que tiene raíces Aristotélicas[17], es asumido por nuestro TC cuando indica, entre otras, en la STC 19/1988, de 16 de febrero, que «lo proclamado en el repetido art. 9.2 [CE] puede exigir un mínimo de

---

17. Vid. sus obras *Moral a Nicómaco*, libro quinto, capítulo III y, más significativamente *Política,* libro tercero, capítulo VII. Obras de Aristóteles, puestas en lengua castellana por D. Patricio de Azcárate, Medina y Navarro, Editores, Madrid, 1873. Accesible en:http://www.filosofia.org/cla/ari/azc01.htm.

desigualdad formal para progresar hacia la consecución de la igualdad sustancial». En palabras de ESTEBAN LEGARRETA «el artículo 9.2 CE legitima e incluso obliga al legislador a potenciar determinados derechos del ciudadano, que no son objeto de igual disfrute»[18]. No obstante, ha necesitado de un importante acervo normativo tanto internacional, comunitario y nacional para lograr un cierto resultado práctico en la igualdad del colectivo de PCD, mas falta aún un largo camino para la equiparación efectiva de las PCDM.

Antes de estudiar el recién aludido marco jurídico construido para lograr la igualdad de las PCD debemos hacer referencia a un hecho incontrovertido: todas las personas somos diferentes[19]. Tal como sostienen DE ASÍS ROIG y CUENCA GÓMEZ «en lo que atañe a la igualdad, es posible afirmar que, en la actualidad, el discurso de los derechos en materia de igualdad parte del hecho de la diferencia. En efecto, de manera contraria a lo que ocurrió en el origen de la historia de los derechos en donde se hablaba de la igualdad como un hecho que caracterizaba a los seres humanos, la reflexión contemporánea sobre los derechos parte del hecho de la diferencia. Los seres humanos somos diferentes y nos encontramos en situaciones diferentes. Y a partir de ahí, el discurso sobre la igualdad se desenvuelve a través de dos grandes proyecciones: la diferencia negativa y positiva. En la primera, la diferencia negativa, se trata de averiguar qué rasgos de los que nos hacen diferentes o qué situaciones que nos diferencian, son irrelevantes para justificar un trato distinto; en la segunda, la diferenciación positiva, se trata de averiguar qué rasgos de los que nos diferencian o qué situaciones que nos diferencian, son relevantes para justificar un trato distinto».

«Desde este punto de partida, la discriminación se entiende como una situación o un trato diferente que no encuentra justificación alguna o cuya posible justificación decae por la existencia de argumentos superiores. Así, existe discriminación cuando diferencias no relevantes son tenidas en cuenta para producir directa o indirectamente un trato diferente, y cuando diferencias relevantes no son tenidas en cuenta para producir directa o indirectamente un trato diferente»[20].

---

18. ESTEBAN LEGARRETA, R., *Contrato de Trabajo y discapacidad,* cit., p. 77.

19. DE ASÍS, R., CAMPOY, I., y BENGOECHEA, M. A., «Derecho a la igualdad y a la diferencia: Análisis de los principios de no discriminación, diversidad y acción positiva», en *Tratado sobre discapacidad,* cit., p. 115.

20. DE ASÍS ROIG, R., y CUENCA GÓMEZ, P., «La igualdad de oportunidades de las personas con discapacidad», en VV.AA., PÉREZ BUENO, L. C. (Dir. y edición), ÁLVAREZ RAMÍREZ, G. (Coord.), *2003-2012: 10 años de legislación sobre no discriminación*

La primera de las discriminaciones antedichas, la negativa, es la que se ha articulado para conseguir la igualdad de oportunidades; la segunda, la positiva también llamada inversa, por la cual se tienen en cuenta diferencias para producir un trato diferente, nos lleva a la igualdad de resultados a través de la adopción de acciones positivas.

La igualdad de oportunidades como señala BOBBIO, «apunta a situar a todos los miembros de una determinada sociedad en las condiciones de participación en la competición de la vida, o en la conquista de lo que es vitalmente más significativo, partiendo de posiciones iguales»[21]. Para lo cual, se debe comenzar evitando actuaciones que diferencien directa o indirectamente en razón de, para lo que aquí importa, la discapacidad y con ello «eliminar los obstáculos que impiden que los individuos compitan en condiciones de igualdad»[22]. No obstante, la igualdad de oportunidades puede resultar insuficiente para asegurar la igualdad de derechos porque como dice BARRANCO «es posible considerar situaciones en las que dos sujetos tengan las mismas oportunidades para competir, pero se produzcan circunstancias que hagan que de hecho, siempre ganen los sujetos que forman parte de un determinado grupo»[23]. De ahí que sea necesario en algunas circunstancias pasar de la igualdad de oportunidades a la igualdad de resultados a través de las medidas de acción positivas. De la igualdad de oportunidades tratamos a continuación, primero atendiendo a su marco jurídico y después a la determinación de conductas prohibidas dentro del derecho antidiscriminatorio. Por su parte, la igualdad de resultados a través de medidas de acción positiva la estudiaremos infra en el epígrafe D).

1. EL MARCO JURÍDICO INTERNACIONAL, COMUNITARIO Y NACIONAL DE LA IGUALDAD DE OPORTUNIDADES Y NO DISCRIMINACIÓN

El marco jurídico de la igualdad y no discriminación de las PCD aunque tiene precedentes en Organismos Internacionales como la ONU y va-

---

de personas con discapacidad en España. Estudios en homenaje a Miguel Ángel Cabra de Luna, cit., p. 66.

21. BOBBIO, N., *Igualdad y libertad*, traducción de P. Aragón, Editorial Paidós, Barcelona, 1993, p. 78. Citado por DE ASÍS ROIG, R., y CUENCA GÓMEZ, P., «La igualdad de oportunidades de las personas con discapacidad», cit., p. 61.

22. BARRANCO, M. C., *Diversidad de situaciones y universalidad de los derechos*, Cuadernos Bartolomé de las Casas, n.º 47, Dykinson, Madrid, 2011, p. 36. Citado por DE ASÍS y CUENCA, Ibidem.

23. Ídem, p. 38, igualmente citado por DE ASÍS y CUENCA, «La igualdad de oportunidades de las personas con discapacidad», cit., p. 62.

rias de sus agencias especializadas (OMS, UNESCO, UNICEF, OIT) y el Consejo de Europa[24], conviene recordar con LÓPEZ ÁLVAREZ que tiene su impulso en Bruselas, esto es, en la acción normativa de la Unión Europea ya que «fueron las directivas de no discriminación de 2000 las que empujaron y, por qué no decirlo, obligaron al gobierno español a adoptar la legislación en la materia, como ha sido el caso en la mayoría de nuestra legislación más avanzada en ámbitos como el empleo, el medio ambiente, los residuos, la protección de minorías, los derechos de los trabajadores o de los consumidores»[25]. Y ello a pesar de que, como indica GIMÉNEZ GLÜCK el Derecho de la Unión Europea «llegó tarde a la prohibición de la discriminación, debido principalmente al carácter exclusivamente económico de la primera integración europea, pero al mismo tiempo hay que reconocer que en pocos años se ha constituido como un cuerpo legislativo muy incisivo en la lucha contra muchas formas de discriminación»[26]. En efecto, pese a que la Unión –en ese momento Comunidades Económicas Europeas– adoptó una serie de medidas de cierto calado a mediados de los años setenta en relación a las desigualdades existentes entre mujeres y varones en materia retributiva[27], no fue hasta mayo de 1999 cuando con la entrada en vigor del Tratado de Ámsterdam se habilita con su artículo 13 (actual artículo 19 del Tratado de Funcionamiento de la Unión Europea) a las instituciones comunitarias a legislar sobre discriminación no sólo en el ámbito del empleo y no sólo con base en el género[28]. Este precepto

---

24. Vid. al respecto el completo trabajo de BLANCO EGIDO, E., «El marco jurídico de la no discriminación de las personas con discapacidad en la Unión Europea», en VV.AA., PÉREZ BUENO, L. C. (Dir. y edición), ÁLVAREZ RAMÍREZ, G. (Coord.), *2003-2012: 10 años de legislación sobre no discriminación de personas con discapacidad en España. Estudios en homenaje a Miguel Ángel Cabra de Luna*, cit., pp. 98-104. También el ya citado trabajo de GARCÍA QUIÑONES, J. C., «El concepto jurídico laboral de discapacitado», en VALDÉS DAL-RÉ (Dir.) y LAHERA FORTEZA, J. (Coord.), *Las relaciones laborales de las personas con discapacidad*, cit., pp. 27-87.

25. LÓPEZ ÁLVAREZ, P., «La igualdad de trato de las personas con discapacidad en la Unión Europea», en VV.AA., PÉREZ BUENO, L. C. (Dir. y edición), ÁLVAREZ RAMÍREZ, G. (Coord.), *2003-2012: 10 años de legislación sobre no discriminación de personas con discapacidad en España. Estudios en homenaje a Miguel Ángel Cabra de Luna*, cit., p. 121. Las directivas a las que se refiere son la Directiva 2000/43/CE sobre la igualdad de trato independientemente del origen racial o étnico y la Directiva 2000/78/CE sobre la igualdad de trato en el empleo y la ocupación.

26. GIMÉNEZ GLÜCK, D., «La legislación y la jurisprudencia de la Unión Europea ante la multidiscriminación», en AA.VV., SERRA CRISTOBAL, R. (Coord.), *La discriminación múltiple en los Ordenamientos Jurídicos español y europeo*, Tirant lo Blanch, Valencia, 2013, p. 45.

27. Ídem, pp. 45-46.

28. Literalmente dice: «Sin perjuicio de las demás disposiciones del presente Tratado y dentro de los límites de las competencias atribuidas a la Comunidad por el mismo, el Consejo, por unanimidad, a propuesta de la Comisión y previa consulta al Parlamen-

tiene una importancia extraordinaria para la discapacidad pues, como es sabido, fue la primera referencia a esta realidad en el Derecho Originario de la Unión.

Además de este precepto, el marco jurídico de la igualdad y no discriminación de las PCD en la Unión Europea está sustentado por otras normas superiores de dicho Derecho Originario[29]:

–   Artículo 2 del Tratado Unión Europea (TUE) por el cual se establece la igualdad como uno de los valores en los que se fundamenta la Unión[30].

–   Artículo 3 TUE: que establece como misión de la Unión la promoción de sus valores y entre ellos está como se recoge en el precepto anterior, la igualdad. Asimismo, proclama el deber de la Unión de combatir toda discriminación y la exclusión social.

–   Artículos 8 y 10 del Tratado de Funcionamiento de la Unión Europea (TFUE) por los cuales se indica que «en la definición y ejecución de sus políticas y acciones, la Unión tratará de luchar contra toda discriminación por razón de sexo, raza u origen étnico, religión o convicciones, discapacidad, edad u orientación sexual». Ello es el denominado «mainstreaming» o transversalidad de la visión antidiscriminatoria, ya no sólo por razón de sexo sino por todo el elenco de materias establecido, en todas las políticas y acciones de la Unión[31].

–   Por su parte, el artículo 21 de la Carta de Derechos Fundamen-

---

to Europeo, podrá adoptar acciones adecuadas para luchar contra la discriminación por motivos de sexo, de origen racial o étnico, religión o convicciones, discapacidad, edad u orientación sexual».

29.   Todos los preceptos pueden consultarse en la versión consolidada de los Tratados: http://europa.eu/eu-law/decision-making/treaties/index_es.htm [29-06-2014].

30.   La igualdad junto a la dignidad, la libertad y la solidaridad son valores universales e indivisibles de la Unión Europea y los principios de igualdad de trato y no discriminación están en el centro del modelo social europeo, *Libro Verde sobre igualdad y no discriminación en la Unión Europea ampliada*, Editorial Unión Europea, Luxemburgo, 2004, p. 3.

31.   Vid. CABRA DE LUNA, M. Á., «discapacidad y aspectos sociales: la igualdad de oportunidades, la no discriminación y la accesibilidad universal como ejes de una nueva política a favor de las personas con discapacidad y sus familias. Algunas consideraciones en materia de protección social», *Revista del Ministerio de Trabajo y Asuntos Sociales*, n.º 50, 2004, p. 31, cuando indica: «Toda nueva política general antes de su implantación debe medirse por su impacto en las personas con discapacidad». Esta visión transversal de la discapacidad encuentra también carta de naturaleza en el artículo 4.1.c) de la Convención de la ONU sobre los Derechos de las PCD y en nuestra LGD artículo 2.o).

tales de la Unión Europea, aprobada junto al Tratado de Niza en 2000 y en vigor desde que hizo lo propio el Tratado de Lisboa el 1 de diciembre de 2009, que, coherente con la proclamación en el preámbulo de la igualdad como uno de los «valores indivisibles y universales» en los que se funda la Unión y que forma parte de su patrimonio «espiritual y moral», prohíbe toda discriminación y en particular la ejercida por razón entre otras por discapacidad. Como es sabido, el artículo 6 TUE dota a esta Carta de naturaleza jurídica de Tratado. A este precepto habría que unirle el artículo 26 que versa específicamente sobre la «Integración» de las PCD por el cual se «reconoce y respeta» el derecho «a beneficiarse de medidas que garanticen su autonomía, su integración social y profesional y su participación en la vida de la comunidad».

En aplicación de esta normativa se han aprobado diversas Directivas relacionadas con la igualdad de trato y, en concreto, por ser la que más se ajusta al ámbito de la discapacidad, la ya referida Directiva 2000/78, de 27 de noviembre, de 2000, relativa al establecimiento de un marco general para la igualdad de trato en el empleo y la ocupación[32]. Como se sabe, esta Directiva representó un avance muy importante en la lucha por la igualdad de oportunidades de las PCD, ya que estableció que los Estados Miembros debían disponer dentro de su normativa interna de un conjunto de respuestas frente a la discriminación tanto directa como indirecta que pudiera padecer este colectivo. Este enfoque «supera la mera protección frente al trato discriminatorio directo y pretende avanzar hacia la acción positiva frente a las discriminaciones indirectas, o lo que es lo mismo, que actúe contra situaciones aparentemente neutras» que, en la práctica, impiden el acceso de las PCD al mundo laboral[33]. Esta Directiva fue traspuesta a nuestro Ordenamiento jurídico nacional a través de la LIONDAU que, como se sabe, ha sido refundida junto a la LISMI y la 49/2007 en la LGD.

Además de la Directiva 2000/78, es reseñable la propuesta de Directiva presentada por el Consejo de la Unión Europea por la que se aplica el principio de igualdad de trato entre las personas independientemente de su religión o convicciones, discapacidad, edad u orientación sexual[34].

---

32. Diario Oficial n.º L 303, de 2 de diciembre de 2000, pp. 16-22.

33. TUSSY FLORES, M., «Las políticas europeas contra la discriminación laboral de las personas con discapacidad», en AA.VV., PÉREZ BUENO, L. C. (Dir. y edición), ÁLVAREZ RAMÍREZ, G. (Coord.), *2003-2012: 10 años de legislación sobre no discriminación de personas con discapacidad en España. Estudios en homenaje a Miguel Ángel Cabra de Luna,* cit. p. 273.

34. Bruselas, 2.7.2008, COM(2008) 426 final.

Tal propuesta formulada por la Comisión en 2008 pretende extender el principio de no discriminación a ámbitos como la vivienda, la sanidad, la educación o la protección social. Como indica LÓPEZ ÁLVAREZ «lleva tiempo bloqueada en el Consejo, sin verdaderas perspectivas de que (...) pueda convertirse en derecho positivo»[35].

Toda esta batería de normas dentro del derecho de la Unión Europea se une a la Convención Internacional sobre los Derechos de las PCD, principal texto normativo internacional que pretende luchar contra la discriminación de este colectivo[36] y que desde su artículo primero tiene como propósito «asegurar el goce pleno y en condiciones de igualdad de todos los derechos humanos y libertades fundamentales por todas las personas con discapacidad». Por su parte, en nuestro Ordenamiento nacional la LGD que refunde la LIONDAU, la LISMI y la Ley 49/2007, adaptándolas todas a la Convención, se convierte en la norma a tener en cuenta sobre el particular. Al igual que ocurre con la Convención, nuestra LGD viene impregnada desde el primer precepto, en el que indica que el objeto de la Ley es garantizar la igualdad de oportunidades, de un marcado acento antidiscriminatorio y de impulso de medidas para la consecución de la igualdad efectiva de las PCD.

Por consiguiente, la Convención, los preceptos vistos del Derecho Originario de la Unión y nuestra LGD representan el acervo normativo de referencia en relación a igualdad de oportunidades de las PCD.

2. LAS CONDUCTAS PROHIBIDAS EN EL DERECHO ANTIDISCRIMINATORIO

Como antes se comentó, para conseguir la igualdad de oportunidades lo primero es eliminar las conductas que perjudican directa o indirectamente a las PCD por su condición de tales, esto es, por tener entre sus características personales una limitación que precisa de medidas de apoyo para superar las barreras sociales que le impiden tener una vida como el resto de personas de la sociedad. De ahí que se han prohibido tanto en el plano internacional (a través de la Convención), como de la Unión y nacional un amplio elenco de conductas, a saber: la discriminación directa, la indirecta, el acoso, las instrucciones para discriminar y las discriminaciones por asociación.

---

35. LÓPEZ ÁLVAREZ, P., «La igualdad de trato de las personas con discapacidad en la Unión Europea», cit., p. 126.
36. DE ASÍS ROIG, R., y CUENCA GÓMEZ, P., «La igualdad de oportunidades de las personas con discapacidad», cit., p. 72.

Todos estos comportamientos cuya fuente principal de elaboración ha sido la jurisprudencia del TJUE, como se puso de manifiesto entre otras ocasiones en la sentencia de 17 de julio de 2008 del caso Coleman en la que instituyó sin que estuviera expresamente prevista en la Directiva 2000/78 la llamada «Discriminación por Asociación», han sido ya recogidos en nuestro ordenamiento jurídico en la LGD. De hecho su artículo 2 define la discriminación directa, la indirecta, la discriminación por asociación y el acoso[37], mientras que las instrucciones para discriminar vienen recogidas en el artículo 35.7 de este mismo cuerpo legal[38]. Aunque no es momento de hacer un estudio detallado de cada figura[39], bastando a nuestros efectos con la definición legal expuesta, sí entendemos necesario detenerse someramente en un aspecto importante y en alguna medida discutido en torno a la necesidad de intención o no en la discriminación indirecta. Como es sabido, una discriminación indirecta se produce cuando una disposición, criterio o práctica aparentemente neutral produce una específica desventaja a nuestros efectos a las PCD, en comparación al efecto que produce al resto de personas sin discapacidad. Y ello salvo que la disposición, criterio o práctica pueda justificarse por una finalidad legítima y los medios para conseguirla sean apropiados y necesarios. Se trata, como nos dice GIMÉNEZ GLÜCK «de una discriminación que se descubre a través del impacto negativo que tiene sobre el colectivo estigmatizado que se trata de proteger, ya que la medida no utiliza directamente los rasgos sospechosos (...) [aunque] con el impacto adverso de la norma sobre el colectivo no es suficiente para

---

37.   Artículo 2 LGD: Definiciones. «c) Discriminación directa: es la situación en que se encuentra una persona con discapacidad cuando es tratada de manera menos favorable que otra en situación análoga por motivo de o por razón de su discapacidad.
      d) Discriminación indirecta: existe cuando una disposición legal o reglamentaria, una cláusula convencional o contractual, un pacto individual, una decisión unilateral o un criterio o práctica, o bien un entorno, producto o servicio, aparentemente neutros, puedan ocasionar una desventaja particular a una persona respecto de otras por motivo de o por razón de discapacidad, siempre que objetivamente no respondan a una finalidad legítima y que los medios para la consecución de esta finalidad no sean adecuados y necesarios.
      e) Discriminación por asociación: existe cuando una persona o grupo en que se integra es objeto de un trato discriminatorio debido a su relación con otra por motivo o por razón de discapacidad.
      f) Acoso: es toda conducta no deseada relacionada con la discapacidad de una persona, que tenga como objetivo o consecuencia atentar contra su dignidad o crear un entorno intimidatorio, hostil, degradante, humillante u ofensivo».
38.   Artículo 35 LGD: Garantías del derecho al trabajo. «7. Se considerará igualmente discriminación toda orden de discriminar a personas por motivo o por razón de su discapacidad».
39.   Para ello, vid. entre otros, GIMÉNEZ GLÜCK, D., «La legislación y la jurisprudencia de la Unión Europea ante la multidiscriminación», cit., pp. 48-53.

declarar su inadecuación al Derecho de la Unión Europea; este impacto adverso sólo sitúa a las normas en una situación de presunción de que su verdadera intención oculta es la de perjudicar a las mujeres o las minorías étnicas [o a las PCD en nuestro caso]. Pero si el legislador estatal o comunitario logra desmontar que la norma con impacto adverso no tiene como finalidad perjudicarlas la norma será válida. Por tanto, en la discriminación indirecta, según entiende el Derecho Comunitario, el efecto desfavorable sobre el colectivo será importante para invertir la carga de la prueba y para elevar el nivel de sospecha sobre la norma, pero la clave seguirá siendo determinar si la finalidad de la norma ha sido discriminar o no al colectivo»[40].

Hay alguna doctrina que opina que la discriminación indirecta se produce con independencia de la intención discriminatoria de la norma en cuestión[41]. Pero a día de hoy, tal postura no es la asumida ni por el TJUE[42], ni por las Directivas aprobadas por la Unión, que en relación al ámbito de la discapacidad, se han traspuesto a nuestro ordenamiento jurídico a través del artículo 2 LGD antes transcrito, en el que queda meridianamente claro que si la medida tiene una finalidad «legítima» y los medios utilizados son «adecuados» y «necesarios», tal norma, práctica, entorno, etc. por mucho que tenga un impacto negativo en el colectivo de PCD, no podrá ser declarada que encierra una discriminación indirecta. No obstante lo anterior, para el supuesto concreto de las mujeres y la discriminación por embarazo parece existir «una especie de causa objetiva de discriminación, lo que conduce al TC a reafirmar y ampliar las garantías de tutela eximiendo a la trabajadora de aportar indicio alguno (...) y algo de lo mismo podríamos afirmar de la condición» de PCD[43]. Es decir, que para las PCD baste con la simple prueba estadística del impacto negativo de una norma o medida para ampliar las garantías de tutela eximiendo de aportar otro indicio para declarar la discriminación indirecta.

---

40. Ídem, pp. 49-52.
41. BALLESTER PASTOR, M. A., *Diferencia y discriminación normativa por razón de sexo en el orden laboral*, Tirant lo Blanch, Valencia, 2004, especialmente, pp. 44-45; También, SÁEZ LARA, C., *Mujeres y mercado de trabajo: las discriminaciones directas e indirectas*, Consejo Económico y Social, Madrid, 1994, especialmente p. 107.
42. Por ejemplo, STJUE de 2 de octubre de 1997, asunto C/100-95, Kording, donde deja claro que la desigualdad de trato sería compatible con el Derecho de la Unión Europea «si estuviera justificada por factores objetivos y ajenos a cualquier discriminación por razón de sexo», cit. en GIMÉNEZ GLÜCK, D., «La legislación y la jurisprudencia de la Unión Europea...», cit. p. 51.
43. Manteniendo este razonamiento, vid. RUIZ CASTILLO, M. M., *Igualdad y no discriminación. La proyección sobre el tratamiento de la discapacidad*, cit., pp. 58-59.

IV. LAS ACCIONES PARA COLECTIVOS HISTÓRICAMENTE SEGREGADOS: LAS MEDIDAS DE ACCIÓN POSITIVA Y DE DISCRIMINACIÓN INVERSA

Que las PCD son un colectivo históricamente segregado ya nadie lo pone en duda. Por ello, se ha visto necesario no sólo articular medidas para conseguir la igualdad de oportunidades a través de la prohibición de conductas discriminatorias sino que se ha ido más allá en pos de la igualdad de resultado por medio de medidas de acción positiva y de discriminación inversa. Sobre la distinción conceptual entre estas dos categorías, recogemos las palabras de GARCÍA MORILLO quien señala que la diferencia generalmente admitida supone que «la acción positiva consiste en desarrollar a favor de un determinado grupo actuaciones públicas que no perjudican a nadie, como pueden ser ayudas, subvenciones o desgravaciones fiscales; [mientras que] la discriminación inversa, por el contrario implica que, en determinadas circunstancias, se discriminan favorablemente –esto es, se prefiere– a los integrantes de un grupo –por ejemplo, las mujeres– frente a otros, o se reserva a los miembros de ese determinado grupo una cuota determinada, excluyendo de ella a los que no pertenezcan a él. Aunque tienen distintas consecuencias, ambas técnicas encuentran encaje en el artículo 9.2 de la Constitución, que obliga a los poderes públicos a promover las condiciones para que la libertad y la igualdad sean reales y efectivas»[44].

En relación a las medidas de acción positiva como recuerda CORDERO GORDILLO engloban «una gran variedad de medidas a favor de determinados colectivos que tiene por finalidad prevenir, eliminar o compensar las situaciones de desigualdad de hecho que les afectan en los diversos ámbitos de la vida social[45]. Dentro de estas medidas puede distinguirse entre acciones positivas de objetivos y de resultados. Las primeras son acciones de carácter promocional que actúan sobre el punto de partida de la diferencia, esto es, sobre las condiciones de acceso a los derechos o al ejercicio de los mismos, con la finalidad de alcanzar la igualdad de

---

44. GARCÍA MORILLO, J., «La cláusula general de igualdad», cit., pp. 190-191. También sobre el concepto de acción positiva y su diferenciación de figuras afines, vid. FABREGAT MONFORT, G., *Las medidas de acción positiva. La posibilidad de una tutela antidiscriminatoria*, Editorial Tirant lo Blanch, Valencia, 2009, pp. 17 y siguientes.

45. Vid. también, MONTOYA MELGAR, A., «El principio de igualdad y no discriminación. Presentación general», en AA.VV. (GARCÍA MURCIA, J., Coordinador), *Igualdad y no discriminación en el mundo laboral*, Consejo del Principado de Asturias. Consejería de Industria y Empleo, Oviedo, 2008, p. 37 cuando indica «La acción positiva significa que son lícitos y no se les puede tachar de discriminadores los tratos desiguales que tienen como objetivo compensar situaciones históricas de discriminación».

oportunidades (...). Las subvenciones y bonificaciones a la contratación de personas con discapacidad serían un ejemplo de este tipo de medidas».

«Las acciones positivas de resultados, por su parte, pretenden garantizar y no meramente facilitar la consecución de un determinado resultado. Los ejemplos paradigmáticos de este tipo de acciones positivas son las cuotas o reservas de puestos de trabajo»[46].

Sobre estas medidas de acción positiva sólo recordar cómo el TC en su sentencia 269/1994 deja meridianamente claro su constitucionalidad en un supuesto en el que examinaba, como es sabido, el porcentaje de puestos de trabajo reservados para PCD. Literalmente indica: «precisamente porque puede tratarse de un factor de discriminación con sensibles repercusiones para el empleo de los colectivos afectados, tanto el legislador como la normativa internacional (Convenio 159 de la OIT) han legitimado la adopción de medidas promocionales de la igualdad de oportunidades de las personas afectadas por diversas formas de discapacidad que, en síntesis, tienden a procurar la igualdad sustancial de sujetos que se encuentran en condiciones desfavorables de partida para muchas facetas de la vida social en las que está comprometido su propio desarrollo como personas. De ahí la estrecha conexión de estas medidas, genéricamente, con el mandato contenido en el art. 9.2 CE y, específicamente, con su plasmación en el art. 49 CE» (F.J. 4). Como afirma de manera inmejorable ESTEBAN LEGARRETA «la fundamentación legal de la acción y discriminación positivas se encuentra en el artículo 9.2 de nuestra Carta Magna, que dirige a los poderes públicos la obligación de desarrollar una política de igualdad sustancial»[47] y este tema es esencial para las PCD pues sin este tipo de medidas «la equiparación de los trabajadores con discapacidad es absolutamente imposible»[48].

Revisemos cómo nuestro derecho positivo vigente se encarga de regular las medidas de acción positiva.

En nuestro Ordenamiento Jurídico nacional, en la LGD hay varios preceptos referidos a las medidas de acción positiva. En efecto, en la LGD en el artículo 2.g) se definen las medidas de acción positiva como «aquellas de carácter específico consistentes en evitar o compensar las desventajas derivadas de la discapacidad y destinadas a acelerar o lograr la igualdad de hecho» de las PCD. Es necesario llamar la atención cómo este precepto al refundir el artículo 8 de la LIONDAU modifica su tenor literal pues éste in-

---

46. CORDERO GORDILLO, V., *La igualdad y no discriminación de las personas con discapacidad en el mercado de trabajo*, Editorial Tirant lo Blanch, Valencia, 2011, pp. 112-113.
47. ESTEBAN LEGARRETA, R., *Contrato de Trabajo y discapacidad*, cit., p. 96.
48. Ibidem, p. 103.

dicaba expresamente en su inicio el término «apoyos», sin que la enmienda elimine desde nuestro punto de vista que tales medidas acción positiva son verdaderos apoyos para conseguir que las PCD puedan sortear las barreras sociales que impiden su plena y efectiva inclusión social. El contenido de estas medidas de acción positiva se encuentra en los artículos 67 y 68 LGD. En concreto, se indica en el último inciso del número 1 de este último precepto, que «podrán ser ayudas económicas, ayudas técnicas, asistencia personal, servicios especializados y ayudas y servicios auxiliares para la comunicación». Las medidas de acción positiva también están reguladas por el artículo 35 de la Ley 62/2003, de 30 de diciembre (BOE del 31), de medidas fiscales, administrativas y del orden social que indica: «Para garantizar en la práctica la plena igualdad por razón de origen racial o étnico, religión o convicciones, discapacidad, edad y orientación sexual, el principio de igualdad de trato no impedirá que se mantengan o adopten medidas específicas a favor de determinados colectivos destinadas a prevenir o compensar las desventajas que les afecten relativas a las materias incluidas en el ámbito de aplicación de esta sección».

Por lo que respecta al Derecho de la Unión Europea debemos hacer referencia a la anterior y repetidamente aludida Directiva 2000/78/CE del Consejo, de 27 de noviembre de 2000, relativa al establecimiento de un marco general para la igualdad de trato en el empleo y la ocupación, que posee múltiples referencias a las medidas de apoyo y sobre todo a los ajustes razonables de los que nos ocuparemos en el siguiente apartado. Como botón de muestra el Considerando 16 que indica cómo «La adopción de medidas de adaptación a las necesidades de las personas con discapacidad en el lugar de trabajo desempeña un papel importante a la hora de combatir la discriminación por motivos de discapacidad». Tal normativa ha sido transpuesta a nuestro ordenamiento por la antes referida Ley 62/2003.

Por último, para terminar con este sucinto repaso a la normativa que se encarga de regular las medidas de acción positiva debemos indicar que en la Convención Internacional de Derechos de las PCD de la ONU no se definen tales aunque sin aludir expresamente a ellas, el artículo 4.1 establece dentro de las Obligaciones generales, en sus apartados a) y b), el requerimiento a los Estados que suscriban este Tratado Internacional de «a) Adoptar todas las medidas legislativas, administrativas y de otra índole que sean pertinentes para hacer efectivos los derechos reconocidos en la presente Convención» y «b) Tomar todas las medidas pertinentes, incluidas medidas legislativas, para modificar o derogar leyes, reglamentos, costumbres y prácticas existentes que constituyan discriminación contra las personas con discapacidad».

Tras este rápido repaso a la regulación jurídica de las medidas de acción positiva, pasamos a las medidas de discriminación inversa y más en concreto, al examen de su régimen jurídico que las declara compatibles con el principio de igualdad de trato en el Derecho de la Unión Europea. Como se sabe, tiene su origen en una STJUE la de 17 de octubre de 1995, asunto C-450/93 Kalanke[49]. En dicha resolución el Tribunal declaró contraria a Derecho una determinada discriminación inversa llevada a cabo por un Estado, por considerar que contradecía el principio de igualdad de trato consagrado en la Directiva aplicable en ese momento (la 76/207/CEE, relativo a la igualdad entre varones y mujeres). El supuesto de hecho en el caso de autos consistía en que un Ayuntamiento alemán promocionó a una mujer con respecto a un varón, ambos jardineros con la misma cualificación y capacitación. El Ayuntamiento se escudaba en que en esa profesión las mujeres estaban infrarrepresentadas y por ello necesitaban de una medida suplementaria para conseguir la igualdad efectiva con respecto a los varones. Pues bien, en ese caso el TJUE declaró que era contrario a Derecho dicha actuación del consistorio alemán y, a partir de ahí, se vio necesario regular expresamente la compatibilidad de las medidas de discriminación inversa con el principio de igualdad pues su finalidad es, justamente, promover la equiparación material efectiva para determinados colectivos que precisan de dichas actuaciones para lograrla. Como ejemplo de esta regulación está el artículo 23 de la Carta de Derechos Fundamentales, el cual señala que «La igualdad entre hombres y mujeres será garantizada en todos los ámbitos, inclusive en materia de empleo, trabajo y retribución. El principio de igualdad no impide el mantenimiento o la adopción de medidas que ofrezcan ventajas concretas a favor del sexo menos representado».

En nuestra LGD queda expresamente establecido la posibilidad de este tipo de medidas en sus artículos 67 y 68. En el 67 se establecen qué personas dentro del colectivo de las PCD piensa el legislador que pueden ser susceptibles de merecer la discriminación inversa por poder sufrir incluso multidiscriminación: los niños y niñas con discapacidad, las mujeres con discapacidad y las PCD que viven en el entorno rural. A continuación, en el 68 se indica taxativamente que «podrán consistir en apoyos complementarios y normas, criterios y prácticas más favorables».

V.   LAS MEDIDAS DE IGUALACIÓN INDIVIDUAL: LOS AJUSTES RAZONABLES PARA PCD

La Convención Internacional de la ONU sobre los Derechos de las PCD

---

49. Sobre el tema, vid. con cierto detalle GIMÉNEZ GLÜCK, D., «La legislación y la jurisprudencia de la Unión Europea ante la multidiscriminación», cit., pp. 54-55.

define en su artículo 2, párrafo cuarto, la figura de los «ajustes razonables» que son «las modificaciones y adaptaciones necesarias y adecuadas que no impongan una carga desproporcionada o indebida, cuando se requieran en un caso particular, para garantizar a las personas con discapacidad el goce o ejercicio, en igualdad de condiciones con las demás, de todos los derechos humanos y libertades fundamentales». Por tanto, mientras las acciones positivas y medidas de discriminación inversa tratadas en el punto anterior hacen referencia a medidas de carácter general para todas las PCD o, al menos, para uno de sus colectivos integrantes (PCD física, sensorial, mental o intelectual), con los «ajustes razonables» nos situamos en un supuesto de hecho particular, en un caso concreto y en qué medida debe adaptarse o sufrir una modificación o variación para con ello garantizar que pueda ser ejercido por una PCD en igualdad de condiciones que el resto de la sociedad. Es, por ello, el último escalón de los vistos hasta ahora. Si todo lo anterior, desde la accesibilidad universal y el principio de «diseño para todas las personas»[50], hasta las medidas de igualdad de oportunidades, proscripción de conductas antidiscriminatorias y medidas de acción positiva y de discriminación inversa no son suficientes y aún existen casos singulares en los que una PCD no puede ejercer alguno de sus derechos fundamentales en igualdad de condiciones, entrará en juego la exigencia de adaptaciones razonables o de igualación positiva, conocida en nuestro Derecho como «ajustes razonables».

Sin entrar en el detalle de esta figura de lo que ya se ha encargado parte de la doctrina, en especial PÉREZ BUENO[51] y CORDERO GORDILLO[52], sí entendemos necesario realizar las siguientes consideraciones.

---

50. Reguladas en las letras k) y l) del artículo 2 de la LGD: «k) Accesibilidad universal: es la condición que deben cumplir los entornos, procesos, bienes, productos y servicios, así como los objetos, instrumentos, herramientas y dispositivos, para ser comprensibles, utilizables y practicables por todas las personas en condiciones de seguridad y comodidad y de la forma más autónoma y natural posible. Presupone la estrategia de "diseño universal o diseño para todas las personas", y se entiende sin perjuicio de los ajustes razonables que deban adoptarse». Y «l) Diseño universal o diseño para todas las personas: es la actividad por la que se conciben o proyectan desde el origen, y siempre que ello sea posible, entornos, procesos, bienes, productos, servicios, objetos, instrumentos, programas, dispositivos o herramientas, de tal forma que puedan ser utilizados por todas las personas, en la mayor extensión posible, sin necesidad de adaptación ni diseño especializado. El "diseño universal o diseño para todas las personas" no excluirá los productos de apoyo para grupos particulares de personas con discapacidad, cuando lo necesiten».
51. PÉREZ BUENO, L. C., «La configuración jurídica de los ajustes razonables», en AA. VV., PÉREZ BUENO, L. C. (Dir. y edición), ÁLVAREZ RAMÍREZ, G. (Coord.), *2003-2012: 10 años de legislación sobre no discriminación de personas con discapacidad en España. Estudios en homenaje a Miguel Ángel Cabra de Luna*, cit., pp. 159 y ss.
52. CORDERO GORDILLO, V., *Igualdad y no discriminación...*, cit., en el cual dedica todo su capítulo sexto a esta institución pp. 133-177.

a) Es una institución regulada tanto por la Convención de la ONU (art. 2 ya visto), como por el Derecho de la Unión[53] y nuestro ordenamiento interno[54]. Al respecto, indicar también que la STJUE de 11 de abril de 2013, antes citada, asunto Danmark, resuelve una cuestión prejudicial interpuesta por un órgano jurisdiccional danés sobre si la reducción de tiempo de trabajo puede constituirse una de las medidas de ajuste a que se refiere el artículo 5 de la Directiva 2000/78. El Tribunal recuerda que tal como dispone dicho artículo, los empresarios han de tomar las medidas adecuadas, en particular, para permitir a las personas con discapacidades acceder al empleo, tomar parte en el mismo o progresar profesionalmente.

b) Son la garantía y el límite de los derechos de las PCD[55]. Garantía porque completan la accesibilidad universal y el diseño para todas las personas de las cuales son su correlato en un caso concreto. Y límite porque sólo entran los ajustes que sean «razonables» y, por ello, se «reduce el número de ajustes que aun siendo necesarios para la satisfacción de las necesidades de las personas con discapacidad a través del ejercicio de un derecho, están amparados por la norma»[56].

---

53. En el Derecho de la Unión Europea debe hacerse referencia a la Directiva 2000/78/CE del Consejo, de 27 de noviembre de 2000, relativa al establecimiento de un marco general para la igualdad de trato en el empleo y la ocupación (DO L303, p. 16), en la cual hay múltiples referencias a los ajustes razonables. A saber, en los considerandos 17 y 20 («Es preciso establecer medidas adecuadas, es decir medidas eficaces y prácticas para acondicionar el lugar de trabajo en función de la discapacidad (...)»), 21 (determinación de si las medidas adecuadas dan lugar a una carga desproporcionada). Y en los artículos 2.2.ii) («respecto de las personas con una discapacidad determinada, el empresario o cualquier persona u organización a la que se aplique lo dispuesto en la presente Directiva, esté obligado, en virtud de la legislación nacional a adoptar medidas adecuadas de conformidad con los principios contemplados en el artículo 5 para eliminar las desventajas que supone esa disposición, ese criterio o esa práctica [que provocan una discriminación indirecta]» y 5 («se realizarán ajustes razonables. Esto significa que los empresarios tomarán las medidas adecuadas, en función de las necesidades de cada situación concreta, para permitir a las personas con discapacidades acceder al empleo, tomar parte en el mismo o progresar profesionalmente, o para que se les ofrezca formación, salvo que estas medidas supongan una carga excesiva para el empresario (...)»).
54. Definido en el art. 2.m) LGD, en relación con el art. 2.k) y concretado en los siguientes preceptos de este cuerpo legal: art. 18.2 (derecho a la educación); 23.2 y 3 (condiciones básicas de accesibilidad y no discriminación), en correspondencia con la D. A. 3.ª; 63 (vulneración del derecho a la igualdad de oportunidades); 66 (contenido de las medidas contra la discriminación) y 80 y 84 (en materia de infracciones y sanciones), en correspondencia con la D. A. 8.ª
55. PÉREZ BUENO, L. C., «La configuración jurídica de los ajustes razonables», cit., pp. 161-164.
56. Ídem, p. 163.

c) Siguiendo a PÉREZ BUENO podemos extraer los siguientes elementos constitutivos de esta figura[57]:

   a) Conducta positiva de actuación de transformación del entorno.

   b) Ha de dirigirse a transformar el entorno para hacerlo corresponder con las necesidades específicas de las PCD, en todas las situaciones concretas en que éstas puedan hallarse y proporcionarles una solución.

   c) Surge en aquellos casos en las que las obligaciones generales de protección de los derechos de las PCD no han alcanzado su objetivo.

   d) Las adecuaciones no han de comportar una carga desproporcionada para el sujeto obligado.

   e) Su finalidad es la de facilitar la accesibilidad o la participación de las PCD en análogo grado que los demás miembros de la comunidad.

d) Como se puede entender fácilmente, el elemento crucial es el de la razonabilidad del ajuste. El deber empresarial de efectuar los ajustes a favor de trabajadores con discapacidad que así lo requieran no es una obligación absoluta. El límite es que tal actuación no suponga una carga excesiva o desproporcionada para la empresa. «Con ello se pretende conciliar el interés empresarial con la necesidad de garantizar la igualdad de oportunidades de las personas con discapacidad, permitiendo que los empresarios puedan justificar la no realización de ajustes razonables cuando demuestran que los mismos constituyen una carga excesiva, ya sea desde una perspectiva económica o teniendo en cuenta otros factores». Se ha criticado esta visión puramente economicista y financiera a la hora de tratar un asunto de derechos fundamentales[58] e incluso se ha pedido una concreción de la regulación a través de un desarrollo reglamentario[59]. Lo cierto es que demuestra el grado de sensibilidad que aún hoy existe sobre la discapacidad en nuestra sociedad. ¿Alguien se imagina hoy una regulación semejante sobre la maternidad y el

---

57. Ídem, p. 166.
58. Vid. CORDERO GORDILLO, V., *Igualdad y no discriminación de las personas con discapacidad...*», cit. p. 150, citando a Eva GARRIDO PÉREZ, «El tratamiento comunitario de la discapacidad: desde su consideración como anomalía social a la noción del derecho a la igualdad de oportunidades», *Temas Laborales*, n.º 59, 2001, p. 186.
59. PÉREZ BUENO, L. C., «La configuración jurídica de los ajustes razonables», cit., pp. 181-182.

cuidado de hijos y los derechos hoy reconocidos al respecto? No obstante y en todo caso, los poderes públicos deberían establecer programas de ayudas públicas que permitan a los empresarios sufragar o compensar los costes de la realización de los ajustes razonables, así como realizar campañas de información de buenas prácticas en este ámbito.

e) Por último, resaltar tal como viene establecido tanto en la Convención de la ONU (art. 2) como en nuestra legislación interna (art. 63 LGD) que los incumplimientos en la obligación de efectuar ajustes razonables, constituye una vulneración del derecho a la igualdad de oportunidades de las PCD, una auténtica discriminación por razón de discapacidad.

VI. ANÁLISIS COMPARATIVO DE LAS GARANTÍAS ANTIDISCRIMINATORIAS EN MATERIA DE DISCAPACIDAD, SEXO O GÉNERO Y EDAD

Como se sabe, existen diferentes factores de discriminación recogidos por el Ordenamiento Jurídico por ser motivos «históricamente arraigados y contrarios a la dignidad de la persona»[60]. Así nuestro art. 4.2.c) ET, aplicación específica al ámbito laboral del principio más general del art. 14 CE, establece el sexo, estado civil, edad, origen racial o étnico, condición social, religión o convicciones, ideas políticas, orientación sexual, afiliación o no a un sindicato, lengua dentro del Estado español y discapacidad.

El derecho a la no discriminación juega tanto en el momento de acceso al empleo (búsqueda de empleo y proceso de selección que será desarrollado en el próximo capítulo) como en el transcurso de la relación de trabajo (condiciones de trabajo, asignación de funciones, promoción, remuneración y extinción del contrato, etc.).

Ahora bien, la discriminación cuenta con una protección un tanto distinta dependiendo del factor que la motiva[61]. Y ello es especialmente claro en relación a la discriminación por razón de sexo o género que se ha constituido como el arquetipo de discriminación y ha sido el más desarrollado tanto por la normativa internacional como especialmente por la jurisprudencia del TJUE.

---

60. MONTOYA MELGA, A., *Derecho del Trabajo,* cit., p. 313, quien cita a su vez la STC 62/2008, de 26 de mayo.

61. TRISOTTI BERNAIN, C., *discapacidad en el empleo y en la ocupación: igualdad, no discriminación y acciones positivas en Europa,* texto on line, p. 60, accesible en: http://eprints.ucm.es/27465/.

Este es el motivo por el que para profundizar en el tratamiento de la discriminación por discapacidad, creemos oportuno ver las diferencias con el régimen jurídico establecido para el factor de género o sexo. Asimismo, veremos también las diferencias existentes con el tratamiento de la discriminación por edad para ver en qué punto se encuentra el régimen jurídico del trato peyorativo por discapacidad.

La normativa referida a la igualdad prevista entre varones y mujeres ha trazado en la Unión Europea un camino que ha cimentado la regulación de la igualdad en otros ámbitos entre los que se encuentran la discapacidad o la edad. En este sentido, la regulación europea sobre discriminación de discapacidad ha seguido la senda trazada por la normativa sobre igualdad por razón de sexo.

1. COMPARACIÓN EN EL RÉGIMEN JURÍDICO DE LA DISCRIMINACIÓN DIRECTA

El principio antidiscriminatorio por razón de sexo se encuentra consagrado en el art. 157 TFUE y ha sido desarrollado en la Directiva 2006/54/CE, de 5 de julio, relativa a la aplicación del principio de igualdad de oportunidades e igualdad de trato entre hombres y mujeres en asuntos de empleo y ocupación[62]. Si comparamos esta Directiva con la Directiva 2000/78/CE, de 27 de noviembre, relativa al establecimiento de un marco general para la igualdad de trato en el empleo y la ocupación que, como ya hemos comentado, es la que regula este tema para la discapacidad, la diferencia entre ambos textos normativos se encuentra en las excepciones que se permiten a la prohibición de discriminación, siendo más restringidas para la discriminación por razón de sexo que en las relativas a los tratos peyorativos bien por discapacidad, bien por edad.

En el caso de la discriminación por razón de sexo, la Directiva 2006/54/CE en su artículo 14.1 señala explícitamente que no se ejercerá discriminación directa ni indirecta por razón de sexo en los sectores público o privado, incluido los organismos públicos, en una serie de aspectos del empleo y la ocupación: acceso, promoción, condiciones de trabajo, despido, etc. Sin perjuicio de ello, se establece en dicha Directiva (art. 14.2) una excepción en virtud de la cual los Estados pueden disponer que no constituya discriminación una diferencia de trato basada en una característica relacionada con el sexo cuando dicha característica constituya un

---

62. Norma que refundió la Directiva 2002/73/CE, de 23 de septiembre de 2002 y su antecesora, la Directiva 76/207/CEE, de 9 de febrero de 1976, ambas relativas al principio de igualdad de trato entre hombres y mujeres en lo que se refiere al acceso al empleo, a la formación y promoción profesionales, y las condiciones de trabajo.

requisito profesional esencial y determinante debido a la naturaleza de las actividades profesionales concretas o al contexto en que se lleven a cabo, siempre y cuando su objetivo sea legítimo y el requisito proporcionado.

Sin entrar ahora en el detalle de esta excepción[63], que ha sido interpretada de manera claramente restrictiva por la jurisprudencia del TJUE[64] lo que ha de resaltarse es que esta excepción sólo es aplicable a la fase de acceso a un trabajo y, por ello, en los restantes ámbitos del empleo (retribución, promoción, despidos, etc.), las posibles excepciones basadas en diferencias de género se encuentran absolutamente vedadas.

Por su parte, en relación a la Directiva 2000/78 establece un ámbito de aplicación muy similar a lo señalado en la Directiva 2006/54/CE pues incluye el acceso al empleo, formación y promoción profesional, condiciones del empleo y participación en organizaciones derivadas del mismo. También establece una excepción a la prohibición de discriminación regulada en el artículo 4.1 de la misma Directiva por la cual una diferencia de trato basada en la discapacidad puede que no tenga el carácter de discriminatoria cuando, debido a la naturaleza de la actividad profesional concreta de que se trate o al contexto en que se lleve a cabo, dicha característica constituya un requisito profesional esencial y determinante, siempre y cuando el objetivo sea legítima y el requisito, proporcionado. Por consiguiente, en la Directiva 2000/78 se establece una excepción muy semejante a la prevista en la Directiva 2006/54/CE. Ahora bien, la diferencia entre el régimen jurídico de la Directiva 2000/78, aplicable a la discapacidad, y el previsto para la discriminación por razón de sexo en la Directiva 2006/54/CE es que la primera extiende sus efectos no sólo a la esfera del acceso al empleo y la formación, sino a los otros ámbitos regulados por la Directiva (promoción profesional, condiciones de empleo, despido, etc.), mientras que, como antes se dijo, la regulación de la discriminación por razón de sexo sólo está prevista para el ámbito del acceso al empleo.

Por tanto, la normativa mencionada deja a las PCD en una situación de menor protección en relación al régimen jurídico de las diferencias de trato por razón de sexo ya que permite a los Estados considerar como no

---

63. Sobre la misma, entre otros, CHARRO BAENA, P., y SAN MARTÍN MAZZUCCONI, C., «Decálogo jurisprudencial básico sobre igualdad y no discriminación en la relación laboral», en *Revista del Ministerio de Trabajo y Asuntos Sociales*, n.º Extra 3 sobre Igualdad, 2007 p. 88 y ss.

64. LOUSADA AROCHENA, J. F., «El principio de igualdad entre mujeres y hombres en la legislación española», texto on line, p. 6, accesible en: http://www.ugr.es/~filode/Articulo_Lousada_Arochena.pdf, quien cita las SSTJUE de 30.6.1988, Comisión contra Francia; la de 15.4.1986, Caso Johnston; y, sobre todo, las de 26.10.1999, Caso Sirdar y la de 11.1.2000, Caso Kreil.

discriminatorias aspectos sensibles del contrato de trabajo como son la remuneración o el despido.

Si hacemos la misma comparación entre el régimen jurídico de la discriminación por discapacidad y la prevista por razón de edad, ambas están reguladas por la Directiva 2000/78 por lo que cuentan con el mismo ámbito de aplicación y la misma consideración de discriminación directa e indirecta. Ahora bien, existe una diferencia en el artículo sexto de la Directiva que señala ciertas limitaciones a la prohibición de discriminación que se circunscriben exclusivamente a la discriminación por razón de edad y que, por ello, no son aplicables a la discapacidad. En efecto, en el artículo 6 de la Directiva 2000/78 se señala que pueden darse ciertas justificaciones a las diferencias de trato por razón de edad, bien por razones de política de empleo (por ejemplo, para favorecer la contratación de trabajadores jóvenes, o de mayor edad, o de aquellos que tienen personas a su cargo), bien de política de formación profesional o de protección social (como podría ser la necesidad de un período de actividad razonable previo a la jubilación o considerar no discriminatorias diferencias de edades específicas para beneficiarse de prestaciones derivadas de la Seguridad Social). El efecto jurídico de este artículo sexto es que se amplía la capacidad de los Estados miembros de realizar diferencias de trato por razón de edad que se encontrarían justificadas y que, por ello, no entrarían dentro del principio de no discriminación.

La interpretación jurisprudencial llevada a cabo por el TJUE, entre otras, desde su sentencia de 16 de octubre de 2007, asunto Palacios de la Villa[65] hasta la sentencia de 26 de febrero de 2015, asunto Ingeniorforeningen i Danmark[66] o en su resolución de 26 de septiembre de 2013, asunto

---

65. Asunto C-411/05, referente al tema de la jubilación forzosa en la cual el TJUE establece que en la determinación de diferencias de trato basada en la edad, los Estados miembros y, en su caso, los agentes sociales a nivel nacional disponen de una amplia facultad de apreciación, no sólo al momento de hacer prevalecer un objetivo en material social o laboral, sino también al momento de definir las medidas que les permitan lograrlo, teniendo como limitación que dicha medida sea adecuada y necesaria. Específicamente, estima que en atención al objetivo de la medida estudiada que era reducir el desempleo, ésta no pueda cuestionarse a la luz de la Directiva.

66. Asunto C-515/13, por la cual el TJUE declara que «Los artículos 2, apartados 1 y 2, letra a), y 6, apartado 1, de la Directiva 2000/78/CE del Consejo, de 27 de noviembre de 2000, relativa al establecimiento de un marco general para la igualdad de trato en el empleo y la ocupación deben interpretarse en el sentido de que no se oponen a una normativa nacional como la controvertida en el litigio principal, que establece que, en caso de despido de un trabajador que ha estado empleado en la misma empresa ininterrumpidamente durante doce años, quince años o dieciocho años, el empresario le abone, al término de la relación laboral de dicho trabajador, una indemnización equivalente a uno, a dos o a tres meses de salario, pero que no se abone tal indemnización

STJ HK Danmark (II)[67], ha reforzado el amplio margen de discrecionalidad de los Estados en la aplicación de las excepciones contenidas en el artículo 6 de la Directiva por lo que se puede concluir que la Directiva tolera con mayor facilidad diferencias de trato basadas en la edad, en la medida en que éstas se deriven de las características específicas de un determinado puesto de trabajo, otorgando mayor protección al derecho a no ser discriminado por discapacidad que por razón de edad[68].

2. DIFERENCIAS EN LA DISCRIMINACIÓN INDIRECTA

Tal como antes se ha comentado, una discriminación indirecta se produce cuando una disposición, criterio o práctica aparentemente neutros pueda ocasionar una desventaja particular a personas con una religión o convicción, con una discapacidad, de una determinada edad o con una concreta orientación sexual, respecto de otras [art. 2.2.b) Directiva 2000/78]. En nuestro ordenamiento interno, para el ámbito de la discapacidad, el art. 2.d) LGD concreta la naturaleza de la medida adoptada que puede ser «una disposición legal o reglamentaria, una cláusula convencional o contractual, un pacto individual, una decisión unilateral o un criterio o práctica, o bien un entorno, producto o servicio».

Para que exista discriminación indirecta, la disposición, criterio o práctica debe ser aparentemente neutra pero de hecho produce efectos desfavorables mayoritaria o particularmente, a nuestros efectos, a las PCD, o afectar de un modo especial a una persona que pertenezca a dicho colectivo.

---

si el citado trabajador tiene derecho a percibir, al término de su relación laboral, la pensión de jubilación del régimen general, en la medida en que, por una parte, la referida normativa está objetiva y razonablemente justificada por un objetivo legítimo relativo a la política del empleo y del mercado de trabajo y, por otra parte, constituye un medio adecuado y necesario para alcanzar tal objetivo. Incumbe al órgano jurisdiccional remitente comprobar si ello es así».

67. Asunto C-476/11, por la cual el TJUE establece que «El principio de no discriminación por razón de la edad, recogido en el artículo 21 de la Carta de los Derechos Fundamentales de la Unión Europea y concretado por la Directiva 2000/78/CE del Consejo, de 27 de noviembre de 2000, relativa al establecimiento de un marco general para la igualdad de trato en el empleo y la ocupación, y, más específicamente, los artículos 2 y 6, apartado 1, de esta Directiva deben interpretarse en el sentido de que no se oponen a un régimen profesional de jubilación en virtud del cual un empresario abona, como elemento de la retribución, cotizaciones de jubilación progresivas en función de la edad, a condición de que la diferencia de trato resultante basada en la edad sea adecuada y necesaria para alcanzar un objetivo legítimo, circunstancia que corresponde comprobar al órgano jurisdiccional nacional».

68. En el mismo sentido, TRISOTTI BERNAIN, C., *discapacidad en el empleo y en la ocupación: igualdad, no discriminación y acciones positivas en Europa*, cit., p. 64.

La diferencia entre los regímenes jurídicos de la discriminación por razón de sexo o género y el propio de la discapacidad radica en la posibilidad de probar la existencia de este tipo de trato peyorativo a través de la prueba estadística que parece que es suficiente para la primera y aún no lo es para la segunda[69] por lo que aún se podrían dar pasos en el ámbito de la discapacidad para incrementar su garantía jurídica tal como sucede con el factor género o sexo.

Por todo lo dicho, dentro de los factores de discriminación existen diferencias de protección siendo el sexo o género el que atesora más garantías y la edad[70], por ahora, el que menos, situándose la discapacidad en una posición intermedia entre ambos.

— — —

Vista la naturaleza jurídica de las medidas de apoyo que precisan las PCD para superar las barreras existentes y mientras éstas existan hasta que el «diseño para todas las personas» consiga la eliminación completa de estos obstáculos y la plena o universal accesibilidad, pasaremos a continuación en el capítulo siguiente a estudiar las principales medidas de apoyo que precisan las PCDM para conseguir su inserción laboral desde el ámbito de la Protección Social.

---

69. RUIZ CASTILLO, M. M., *Igualdad y no discriminación. La proyección sobre el tratamiento de la discapacidad*, cit., pp. 58-59.
70. BALLESTER PASTOR, M. A., «La lucha contra la discriminación en la Unión Europea», en *Revista del Ministerio de Trabajo e inmigración*, número 92, 2011, p. 207, lo ha denominado como factor de «nueva generación» y quizá pueda ser el motivo de la disparidad de protección en su régimen jurídico.

Capítulo III

La protección social del trabajador con discapacidad mental

SUMARIO: I. CONCEPTO DE PROTECCIÓN SOCIAL. II. BREVE APROXIMACIÓN HISTÓRICA A LA PROTECCIÓN SOCIAL DE LAS PCDM. 1. Siglo XIX. 2. Siglo XX primera etapa, hasta la creación de la Seguridad Social. 3. Siglo XX segunda etapa, la creación del Sistema de Seguridad Social. 4. Siglo XX tercera etapa, tras la Constitución de 1978. III. PROTECCIÓN ECONÓMICA DE LA DISCAPACIDAD Y SU COMPATIBILIDAD CON EL EMPLEO. 1. Prestaciones sociales durante el proceso de recuperación para el empleo. 1.1. Prestaciones del Sistema de Seguridad Social. A. Prestación No Contributiva de Invalidez. B. Prestación Por Hijo a Cargo con discapacidad. C. Renta Activa de Inserción. D. Pensión de Orfandad, un apunte para una situación muy específica. E. Compatibilidad entre las prestaciones del Sistema de Seguridad Social y el empleo para una PCDM en fase de recuperación para el empleo. Propuesta de conjunto. F. Compatibilidad entre las prestaciones económicas y la incorporación a un programa de inserción laboral. Propuesta de conjunto. 1.2. Prestaciones económicas recogidas en la LGD. 1.3. Ayudas económicas de Servicios Sociales de las Comunidades Autónomas. 2. Incapacidad Temporal del trabajador con discapacidad mental y, en particular, sobre cuando esta termina en un proceso de Incapacidad Permanente. 2.1. La Rehabilitación Laboral como apoyo en procesos de IT. 2.2. Procedimiento de declaración de una Incapacidad Permanente. A. Composición de los Equipos de Valoración de Incapacidades (EVI):. B. Sobre los informes preceptivos que han de tenerse en cuenta durante la instrucción del procedimiento de IP:. C. Los supuestos de declaración de IP con reserva de puesto de trabajo:. 3. Incapacidad Permanente Absoluta derivada de una Enfermedad Mental. 3.1. Régimen jurídico de la compatibilidad entre IPA y trabajo. 3.2. Propuestas de modificación del artículo 198.2 LGSS.

> «Renunciar a proteger a los ancianos o a los parados –o a los enfermos o a los inválidos o a los huérfanos–, es renunciar a los niveles mínimos de decencia en la vida en Comunidad»
>
> ALONSO OLEA, M.[1]

Siguiendo con lo indicado en el primer capítulo de esta investigación, en este momento abordaremos el análisis de las tres siguientes cuestiones por ser los principales apoyos que precisa la PCDM para su inserción laboral desde el ámbito de la Protección Social. A saber:

I. Protección económica de la discapacidad y su compatibilidad con el empleo.

II. Sobre la Incapacidad Temporal del trabajador con discapacidad mental.

III. Trabajador con Incapacidad Permanente Absoluta derivada de una Enfermedad Mental y la posibilidad de trabajo compatible con la pensión.

Pero antes de abordar estas cuestiones, debemos comenzar este apartado por un lado, analizando el concepto de Protección Social que nos servirá de marco para todas las consideraciones que se puedan realizar en este capítulo y, por otro, haciendo una breve aproximación histórica a la atención social del colectivo de PCDM.

I. CONCEPTO DE PROTECCIÓN SOCIAL

El término Protección Social está muy extendido en la doctrina y cuenta cada vez con más numerosas referencias normativas y jurisprudenciales[2].

---

1. ALONSO OLEA, M., «Cien años de Seguridad Social», *Papeles de Economía Española*, n.º 12-13, 1982, p. 119.

2. Como botón de muestra, sirva el artículo 28 de la Convención referido al «nivel de vida adecuado y protección social» que utiliza una concepción amplia que incluye desde el acceso al agua potable, a servicios y dispositivos asistenciales, hasta programas y beneficios de la jubilación, pasando por estrategias de reducción de la pobreza y vivienda pública. También el Comité de Protección Social de la Unión Europea, sobre el mismo Vid. SEMPERE NAVARRO, A. V. y SAN MARTÍN MAZZUCCONI, C., «La política social (y el fondo social europeo)», en, ÁLVAREZ CONDE, E. y GARRIDO MAYOL, V. (Dirs.) *Comentarios a la Constitución Europea. Libro III. Políticas Comunitarias y las finanzas de la Unión*, Tirant lo Blanch, Valencia, 2004, pp. 777-797. Asimismo, su utilización frecuente en sentencias tanto del TC (por ejemplo, 205/2011, de 15 de diciembre), como del TJUE. Como curiosidad, vid. BORRAJO DACRUZ, E., «De la Previsión Social a la Protección Social en España: bases histórico-institucionales hasta la Constitución», *Revista de Economía y Sociología del Trabajo*, núm. 3, marzo 1989, pp. 12-13, señala que el primer uso oficial de esta terminología en nuestro país

No obstante, no existe un concepto unívoco y generalmente aceptado del mismo. Recuérdese el meritorio ensayo del mismo realizado por AGUILERA IZQUIERDO, BARRIOS BAUDIOR y SÁNCHEZ-URÁN AZAÑA para quienes «podemos definir la protección social como el conjunto de medidas heterogéneas (específicas e inespecíficas), previstas en nuestro ordenamiento jurídico y otorgadas por un tercero (sea ente público o privado) para prevenir y corregir las necesidades o riesgos sociales, fijados con antelación y, en cuanto tales, típicos y propios de un Estado Social»[3]. Mas lo cierto es que es difícil una concepción unánime pues depende, en gran medida, de la que se tenga del papel del Estado como ente obligado a procurar tal protección social a todos los ciudadanos. En efecto, la Protección Social está muy unida al advenimiento del Estado del Bienestar[4] y, en general, su desarrollo ha ido de la mano de la construcción y consolidación del Derecho del Trabajo y de la Seguridad Social como disciplina jurídica[5]. A pesar de que se mantienen vigentes las palabras del maestro ALONSO OLEA que presiden este capítulo lo cierto es que desde la crisis económica de 2007-2008 se ha puesto en entredicho cuáles son las posibilidades actuales en este campo por los problemas de financiación y deuda de los Estados[6]. Estamos en una fase no sólo de racionalización

tiene lugar con la Ley 46/1985, de 27 de diciembre, de Presupuestos del Estado para 1986. También, GETE CASTRILLO, P. *El nuevo Derecho Común de las pensiones públicas*, Lex Nova, Valladolid, 1997, p. 56, donde el autor hace una revisión de las referencias de la expresión Protección Social, término entonces de nuevo cuño que se estaba potenciando su utilización sobre todo en el ámbito de la Unión Europea.

3. AGUILERA IZQUIERDO, R., BARRIOS BAUDIOR, G., y SÁNCHEZ-URÁN AZAÑA, Y. *Protección Social Complementaria*, Servicio de publicaciones de la Facultad de Derecho de la Universidad Complutense de Madrid, 2003, pp. 7 y siguientes. Otro estudio en ALARCÓN CARACUEL, M. R., «Hacia el Derecho de la Protección Social», en LÓPEZ LÓPEZ, J. (Coord.), *Seguridad Social y Protección Social: temas de actualidad*, Marcial Pons, Madrid, 1996.

4. MONEREO PÉREZ, J. L. *Derechos Sociales de la Ciudadanía y Ordenamiento Laboral*, Consejo Económico y Social, Madrid, 1996, especialmente páginas 20-31. Por su parte, MONTOYA MELGAR, A., «La Seguridad Social Española: notas para una aproximación histórica», *Revista de Trabajo*, n.º 54-55, 1976, p. 18, indica cómo en la II República española la legislación de previsión social experimentó un considerable desarrollo.

5. Vid. la excelente monografía de GARCÍA MURCÍA, J. y CASTRO ARGÜELLES, M. A. (Dirs.) y RODRÍGUEZ CARDO, I. A. (Documentación), *Legislación Histórica de Previsión Social*, Aranzadi-Thomson Reuters, Cizur Menor (Navarra), 2009, especialmente interesante es la contextualización (pp. 17-18) del nacimiento del Instituto Nacional de Previsión que según estos autores probablemente vio la luz para apaciguar el clima de conflictividad social (huelgas, conflictos laborales, accidentes laborales, etc.) del momento. También, MONTOYA MELGAR, A. *Derecho del Trabajo*, 33.ª edición, Tecnos, Madrid, 2012, pp. 613-616. Y MARTÍN VALVERDE, A., RODRÍGUEZ-SAÑUDO GUTIÉRREZ, F., y GARCÍA MURCIA, J. *Derecho del Trabajo*, cit. p. 64.

6. Al respecto, vid. extensamente, AA.VV., *El Estado de bienestar en la encrucijada: nuevos*

sino de auténtica reducción del papel del Estado y sus entes públicos en la cobertura de las necesidades de los ciudadanos. Tan es así, que será difícil regresar a las cotas de protección social que existían con anterioridad a 2007, por más que el ciclo económico cambie de signo y vuelva a ser expansivo[7]. El cambio fundamental es de mentalidad: el Estado sigue jugando un papel prominente en este ámbito pero cada vez deja más espacio para la actuación de la familia y de la sociedad civil[8]. El ejemplo más claro de esta política la tenemos en el ámbito de la Dependencia, en el cual se ha desmantelado el incipiente sistema de apoyo que se estaba construyendo desde la Ley 39/2006, de Promoción de la Autonomía Personal y Atención a las Personas en Situación de Dependencia, dando o, mejor dicho, devolviendo el protagonismo a la familia y la articulación de apoyos por el sector, fundamentalmente por las mujeres que en el seno de la familia se siguen ocupando del cuidado de la persona dependiente. No obstante, ahondar en esta reflexión queda fuera de los márgenes de esta investigación.

En general, la Protección Social forma parte del conjunto de políticas sociales[9] de un país y, en nuestro caso, de la Unión Europea[10]. Se enmarcan dentro de la concepción Social de nuestro Estado ex arts. 1.1 y 9.2 CE, la cual «es fruto de una operación de compromiso o transacción entre el liberalismo y un cierto grado de socialización; entre el siste-

---

retos ante la crisis global, Federación de Cajas de Ahorros Vasco-Navarras, Vitoria-Gasteiz, 2011.

7. En el mismo sentido, Albert Serra, Director del Instituto de Gobernanza y Dirección Pública de ESADE, quien indica en una exposición en el Fujitsu World Tour 2014, celebrado en Madrid el 10 de junio de 2014 a tener serias dudas de si realmente no estamos en un auténtico cambio de modelo de superación del Estado del Bienestar.

8. Sobre el particular, vid. extensamente y redactado años antes de la crisis de 2007-08, RODRÍGUEZ-ARANA MUÑOZ, J. *Nuevas claves del Estado del Bienestar. Hacia una Sociedad del Bienestar*, Editorial Comares, Granada, 1999. En particular, véase algunas reflexiones: «es necesario que los ciudadanos se despierten de ese sueño de que todo viene de los Poderes públicos» (p. 128); «el ciudadano está llamado a configurar los intereses públicos y, por tanto, el bien común porque en el sistema democrático todos son, o deben ser, responsables de los intereses generales» (p. 130) y, en fin, «'sustituir' Estado por Sociedad, llamando Sociedad del Bienestar lo que hasta ahora era Estado del Bienestar, como consecuencia de un modelo que tiene como premisa la participación porque busca el origen de sus energías en el hombre».

9. Sobre el concepto de Política Social, vid. entre otros, el interesante documento de MONTAGUT, T. *Política Social. Una introducción*, Editorial Ariel, Barcelona, 2000. Especialmente, páginas 19-27. Y la obra de SEMPERE NAVARRO, A. V., CANO GALÁN, Y., CHARRO BAENA, P., y SAN MARTÍN MAZZUCCONI, C. *Políticas sociolaborales*, Ediciones Laborum, 2003, especialmente las páginas 32-41.

10. Sobre la Política Social de la Unión, vid. entre otros SEMPERE NAVARRO, A. V. y SAN MARTÍN MAZZUCCONI, C., «La Política Social (y el Fondo Social Europeo)», cit., especialmente pp. 781-782.

ma capitalista y una política de bienestar social (Welfare State)»[11]. Todas aquellas políticas deben tener una coherencia interna y global para conseguir su finalidad, que es no sólo la prevención y reparación de todas las situaciones de necesidad que puedan afectar a un individuo, sino la plena inserción social de todos sus ciudadanos[12] para, de este modo, conseguir la cohesión social.

La Cohesión Social, objetivo de todas las Políticas Sociales, la podemos entender siguiendo al profesor Gregorio RODRÍGUEZ CABRERO, como «la capacidad de un sistema social, económico y político para lograr tres objetivos complementarios: a) promover la autonomía y participación social de los ciudadanos; b) crear redes sociales e institucionales que generen capital social y favorezcan la inclusión social; c) y, finalmente, contribuir a la materialización de los derechos sociales en su más amplio sentido» [13].

Por ello, la cohesión se conseguirá con la realización de los derechos fundamentales de todas las personas incluidas en una sociedad pues como ya se ha dicho, en un Estado Social de Derecho «la principal función de los poderes públicos es hacer que todos los ciudadanos gocen de sus derechos fundamentales que se derivan de su condición humana»[14].

Siguiendo esta concepción podemos entender que toda la política sociolaboral engloba toda la Seguridad Social, la sanidad, los Servicios So-

---

11. MONTOYA MELGAR, A., *Derecho del Trabajo*, cit. p. 89.
12. MONEREO PÉREZ, J. L., *Derechos Sociales de la Ciudadanía y Ordenamiento laboral*, cit., p. 174, lo expresa con el siguiente tenor: «El poder público debe asegurar (realizando los derechos sociales constitucionales) un sustrato material a los ciudadanos con independencia de su participación en el mercado, como condición para el pleno desarrollo de la personalidad humana y como presupuesto para poder actuar realmente las libertades civiles y políticas».
13. Vid. la magnífica monografía dirigida por el profesor Gregorio RODRÍGUEZ CABRERO, *Servicios Sociales y cohesión social*, Premio de Investigación del Consejo Económico y Social, CES, Madrid, 2011, p. 20. También, MONTOYA MELGAR, A., *Derecho del Trabajo*, cit. p. 90, habla de «equilibrio social». Por su parte, MONEREO PÉREZ, J. L., *Derechos Sociales de la Ciudadanía...*, cit. p. 31, lo dice de la siguiente manera: «el objetivo de la igualdad, y no solamente el de la lucha contra la pobreza es el factor distintivo de las políticas sociales del Estado del Bienestar: persigue la modificación de la desigualdad social creada por el mercado (...). Lo que se persigue es la igualación social u homogeneidad social no la absoluta uniformización de la estructura social que sería contraria al pluralismo inherente a las sociedades complejas, presuponiendo, naturalmente, la erradicación de las situaciones de pobreza (que es un objetivo prioritario)».
14. RODRÍGUEZ-ARANA MUÑOZ, J., *Nuevas claves del Estado de Bienestar*, cit. pp. 77-78.

ciales[15], la Prevención de Riesgos Laborales, todo el sistema educativo y de Formación Profesional, de empleo y de vivienda[16].

Cuando nos referimos al término Protección Social queremos indicar un campo de la Política Social o Sociolaboral que por supuesto incluye a la Seguridad Social –que fue su primera institución y sigue constituyendo su parte más importante–, pero a la que añadimos otras facetas bien Sanidad, bien Servicios Sociales, bien Educación o Empleo[17]. En general,

---

15. Sobre el concepto de Servicios Sociales vid. ALEMÁN BRACHO, C., ALONSO SECO, J. M., y GARCÍA SERRANO, M., *Servicios Sociales públicos*, Tecnos, Madrid, 2011. También, RODRÍGUEZ CABRERO, G., *Servicios Sociales y cohesión social*, cit. p. 9, que define los servicios sociales «como una rama o sistema de intervención social e institucional que tiene como objetivo el bienestar individual y social mediante la ayuda personal polivalente, basada en prestaciones técnicas y monetarias, acciones preventivas, de intervención social y rehabilitación, apoyadas en la acción organizada pública y social, así como en la acción voluntaria». Para su plasmación en nuestro ordenamiento jurídico descentralizado, vid. ALEMÁN BRACHO, C., y ALONSO SECO, J. M., «Los sistemas de servicios sociales en las Leyes autonómicas de servicios sociales», *REDT*, n.º 152, octubre-diciembre de 2011, pp. 973-1001.

16. MONTAGUT, T., *Política Social*, cit. p. 20 incluye «aspectos tales como salud, educación, trabajo, vivienda, asistencia y servicios sociales». Por su parte, SEMPERE, CANO, CHARRO y SAN MARTÍN, *Políticas Sociolaborales*, cit. pp. 42 y ss., incluyen «la política de empleo, formación profesional, seguridad y salud laborales, exclusión social, protección a la familia, juventud, discapacitados, personas en edad avanzada, inmigración, cohesión económica y social y seguridad social». Es de resaltar que todos los términos incluidos desde exclusión social hasta cohesión económica y social es lo que nosotros englobamos en el concepto Servicios Sociales por lo que la coincidencia es casi total. Finalmente, indicar que ALONSO-OLEA GARCÍA, B., y MEDINA GONZÁLEZ, S., en *Derecho de los Servicios Públicos Sociales*, Civitas-Thomson Reuters, Cizur Menor (Navarra), 2011, consideran la educación, la atención a la dependencia, la sanidad y la seguridad social, como «el núcleo esencial de lo que se conocen como "Políticas Sociales" o "Estado Social"»(p. 30) y reconocen (p. 28) citando a Alonso Olea que «las exigencias de bienestar social son múltiples» y éstas cuatro son «algunas de sus parcelas».

17. En el mismo sentido, vid. DE LA VILLA GIL, «El modelo constitucional de Protección Social», en SEMPERE NAVARRO, A.V. (Dir.) y MARTÍN JIMÉNEZ, R. (Coord.), *El modelo social en la Constitución Española de 1978*, Ministerio de Trabajo y Asuntos Sociales, Madrid, 2003, p. 69: «el espacio público de protección social se compone, al menos, por los sistemas de seguridad social, nacional de salud y asistencia social». También, MALDONADO MOLINA, J. A., *Génesis y evolución de la protección social por vejez en España*, Primer premio de investigación Centenario del Nacimiento de la Seguridad Social en España, Ministerio de Trabajo y Asuntos Sociales, Madrid, 2002, p. 203: «La Seguridad Social, en sentido estricto, quedaría como expresión de "las típicas medidas contributivas", mientras que el Sistema de Protección Social supone la consagración de la fusión entre previsión y asistencia sociales, incluyendo la cobertura prestada tanto desde instancias privadas como públicas, y dentro de estas últimas cualquiera que sea el poder público competente». Y asimismo, MARTÍNEZ-GIJÓN MACHUCA, M. A., *Protección Social, Seguridad Social y Asistencia Social. España y la Unión Europea*, Consejo Económico y Social, Madrid, 2005, pp. 77 y siguientes. Espe-

utilizamos este término porque queremos abarcar no sólo la protección económica de las situaciones de necesidad (a base de pensiones, prestaciones o subsidios) que es en lo que se ha consolidado fundamentalmente la Seguridad Social[18], sino también otras prestaciones más técnicas o de servicio que precisan las PCDM para su inserción sociolaboral. Nos referimos fundamentalmente a prestaciones de rehabilitación, recuperación, entrenamiento y apoyo para conseguir incrementar su empleabilidad a las que se refiere la Convención en el art. 27.1.k)[19]. En el buen entendimiento de que ambos tipos de prestaciones (económicas y técnicas) primero, son necesarias, por lo que pueden y deben asignarse conjuntamente y, en segundo lugar, deben estar diseñadas y tener una coherencia interna para conseguir no sólo el auxilio económico temporal o vitalicio sino la finalidad de la reinserción sociolaboral de la persona atendida pues, como indica ESTEBAN LEGARRETA, el mero aseguramiento del desempleo (art. 41 CE) como sistema de amortiguación ante la imposibilidad de lograr el empleo, no garantiza la dignidad de la persona ni su libre desarrollo (art. 10 CE)[20].

---

cialmente, p. 77: «7. Protección Social. Ha sido un término utilizado por el legislador cuando ha querido referirse a algún tipo de protección de carácter público. Vendría a hacer referencia a un concepto jurídico ideal que se situaría por encima del Sistema de Seguridad Social y de la Asistencia Social, con carácter globalizador o comprehensivo».

18. MALDONADO MOLINA, J. A., *Génesis y evolución de la protección social por vejez en España*, cit., p. 203.

19. El art. 27.1.k) de la Convención que indica: «Promover programas de rehabilitación vocacional y profesional, mantenimiento del empleo y reincorporación al trabajo dirigidos a personas con discapacidad». Sobre la rehabilitación para PCDM, extensamente, VALMORISCO PIZARRO, S., *Políticas públicas de rehabilitación laboral para personas con enfermedad mental. Los Centros de Rehabilitación Laboral (CRL) de la Comunidad de Madrid (2008-2012)*, Tesis Doctoral inédita, Getafe (Madrid), enero 2015.

20. ESTEBAN LEGARRETA, R., *Contrato de Trabajo y discapacidad*, cit., p. 125 quien afirma que el mero aseguramiento del desempleo (art. 41 CE) como sistema de amortiguación ante la imposibilidad de lograr el empleo, no garantiza la dignidad de la persona ni su libre desarrollo (art. 10 CE), cuestión que «toma un relieve mucho más destacado en el terreno de las personas con discapacidad». Este autor cita en la misma página a ALARCÓN CARACUEL quien asevera «el seguro de desempleo es una opción subsidiaria y no deseable, respecto al derecho al trabajo, por cuanto que éste está relacionado, según vimos, con el derecho al libre desarrollo de la personalidad». Recogemos aquí también la referencia ineludible de Lorenz VON STEIN, precursor de la idea de Estado Social, *Movimientos Sociales y Monarquía*, traducción E. Tierno Galván, Madrid, 1981, p. 142, «Lo que hace libre al hombre es la superación de la vida exterior, poniéndola a su servicio. Su destino de libertad radica, por lo tanto, en la capacidad de poder llegar a tal dominio mediante su propia actividad y a su autodeterminación personal, continuamente nueva», citado por MONEREO PÉREZ, J. L., *Derechos Sociales de la Ciudadanía y ordenamiento laboral*, cit., p. 44.

Como se verá en el epígrafe siguiente, tal objetivo de la reeducación, rehabilitación y vuelta al trabajo de las PCD es el que han tenido los poderes públicos desde la Asistencia Social[21] y desde la creación del Sistema de Seguridad Social[22].

De alguna manera lo que se quiere poner el énfasis al utilizar el término Protección Social es que no siempre ha existido –y sigue en muchos casos sin existir– la coherencia necesaria en las medidas de atención social al colectivo de PCDM para conseguir su integración en el mundo laboral. Es más, el auxilio social a este colectivo históricamente como enseguida veremos ha sido el contrario: el alejamiento, confinamiento y exclusión no sólo del ámbito laboral sino de toda la sociedad. Ha habido una evolución evidente en los últimos tiempos, pero aún en muchas ocasiones las medidas de atención social no tienen la finalidad de inserción sociolaboral que como hemos visto debe impregnar a toda solución social que se promueva por los poderes públicos.

Por tanto, lo que se quiere poner de relieve es la necesidad de coordinación entre las diferentes disciplinas de atención social, bien sea Seguridad Social, bien Sanidad, bien Asistencia o Servicios Sociales pues, como indica DE LA VILLA, «resulta artificioso en exceso buscar en la CE un sistema de seguridad social al margen de los sistemas nacionales de salud y asistencia social»[23]. Se necesita visión de Sistema (de Protección Social) para atender a colectivos en riesgo de exclusión social –como el de las PCDM–, y llegar a conseguir efectivamente su inserción laboral, con independencia de quién sea el ente público que finalmente sea el responsable de la medida (Estado, Comunidad Autónoma o Corporación Local) y sea cual fuere la solución técnica o económica que se precise para conseguir la finalidad social última: la integración en el mundo del trabajo de las PCDM[24]. Así ya lo puso de manifiesto hace años ÁLVAREZ DE LA ROSA

---

21.   Vid. AZNAR LÓPEZ, M., y OSUNA NOVEL, C., «Antecedentes», en AA.VV., *10 años del Servicio Social de Minusválidos (1972-1982)*, INSERSO, Madrid, 1983, p. 16, que relatan la creación en 1922 (por Real Decreto de 4 de marzo) del Instituto de Reeducación Profesional al que se le atribuyen las funciones de readaptación funcional, reeducación profesional y tutela social de las personas con discapacidad.

22.   Vid. ALONSO-OLEA GARCÍA, B., *El régimen jurídico de la protección social del minusválido*, Civitas, Madrid, 1997, especialmente páginas 149-169.

23.   En este sentido, no podemos estar más de acuerdo con la reflexión de DE LA VILLA GIL, L. E., «El modelo constitucional de protección social», cit., p. 69.

24.   Vid. específicamente, ORGANIZACIÓN MUNDIAL DE LA SALUD, «Carga mundial de trastornos mentales y necesidad de que el sector de la salud y el sector social respondan de modo integral y coordinado a escala de país», 65.ª Asamblea Mundial de la Salud, 25/05/2012, accesible en *http://apps.who.int/gb/ebwha/pdf_files/WHA65/A65_R4-sp.pdf*. [último acceso: 22/09/2014]. En el mismo sentido, la reclamación de

al indicar que la recuperación para el empleo es la «labor primera y fundamental» de la protección social[25].

Esto es, además, lo que se está exigiendo desde la Unión Europea a través de la Estrategia de la Inclusión Activa[26]. Esta Estrategia, se pensó en un primer momento (2007) para el colectivo general de personas en riesgo de exclusión social a través de la Comunicación de la Comisión al Consejo, al Parlamento Europeo, al Comité Económico y Social y al Comité de las Regiones sobre «Modernizar la protección social en aras de una mayor justicia social y una cohesión económica reforzada: promover la inclusión activa de las personas más alejadas del mercado laboral»[27]. Previamente a

---

«un auténtico espacio sociosanitario (...) sumatorio de los sistemas de salud y de servicios y bienestar sociales» realizada por el Comité Español de Representantes de Personas con discapacidad (CERMI), como una prioridad esencial para lograr el nivel óptimo de autonomía y preservar el bienestar de las PCD (cermi.es, boletín semanal, n.º 88, 15/07/2013).

Un ejemplo de esta coordinación entre las Consejerías de Salud y Asuntos Sociales lo encontramos en la Comunidad de Madrid en el ámbito específico de la Salud Mental (vid. al respecto, la Red Púbica de Atención Social a Personas con Enfermedad Mental Grave y Duradera que se creó a finales de los años ochenta y se consolidó en la primera década del S. XXI a través del Plan de Atención Social 2003-2007 y que se mantiene en el Plan Estratégico de Salud Mental de la Comunidad de Madrid, 2010-2014, Dirección General de Hospitales, Consejería de Sanidad, disponible en *www.madrid.org*).

Tal coordinación se está extendiendo entre la Red de Centros de Rehabilitación Laboral, los Centros Base, ambos pertenecientes a la Consejería de Asuntos Sociales de la Comunidad de Madrid y las oficinas de empleo de esta Comunidad, integradas dentro de la Consejería de Educación y Empleo, desde finales de 2012, para que se utilice el mismo documento de valoración de capacidades laborales de las personas con discapacidad (vid. Sistema VOIL de Valoración de Orientación e Inserción Laboral, en *http://www.madrid.org/cs/Satellite?c=CM_InfPractica_FA&cid=1142310100115&language=es&pagename=ComunidadMadrid%2FEstructura&pv=1354190551426* [último acceso: 22/09/2014]. Para las PCDM que estén derivadas en Centros de Rehabilitación Laboral de la Comunidad de Madrid, tal valoración se quiere que parta de la información que provea dicho centro de servicios social especializado.

25. Vid. ÁLVAREZ DE LA ROSA, M., *Invalidez Permanente y Seguridad Social*, cit., p. 222.

26. Sobre el tema, vid. DE FUENTES GARCÍA-ROMERO DE TEJADA, C., «Proyecto europeo de inclusión activa de jóvenes con discapacidad. Valoración desde un Centro de Rehabilitación Laboral para personas con Enfermedad Mental Grave», *Revista Española del Tercer Sector*, n.º 22, septiembre-diciembre 2012, pp. 46-59. También hace referencia a esta estrategia RODRÍGUEZ CABRERO, G. *Servicios sociales y cohesión social*, cit., p. 11, entre otras. Asimismo, vid. el estudio «El empleo de las personas vulnerables: una inversión social rentable», realizado por Cáritas, Cruz Roja, Fundación Once y Secretariado Gitano y publicado por el Fondo Social Europeo en colaboración con el Ministerio de Empleo y Seguridad Social en 2013. Versión descargable en las páginas Web de cada una de estas cuatro instituciones. Entre ellas, *http://www.fundaciononce.es/ES/Publicaciones/Paginas/Biblioteca.aspx*, en concreto las pp. 47-52.

27. Comunicación de la Comisión al Consejo, al Parlamento Europeo, al Comité Econó-

este documento, desde el Consejo Europeo de Niza en 2000 ya se empezó a trabajar sobre el particular teniendo como base legal el artículo 137 del Tratado de Niza que dio como fruto la Estrategia Europea de Inclusión Social, conocida como el «Proceso para la inclusión social» con el objetivo de erradicar la pobreza antes de 2010, que fue reformada en 2005 a través de la Agenda Social Europea 2005-2010, coincidiendo con la renovación de la Estrategia de Lisboa aprobada en 2000.

Pues bien, esta medida se estableció para las PCD en el Informe Conjunto sobre Protección e Inclusión Social de la Unión Europea en 2007[28]. En síntesis puede indicarse que surge como un medio para promover la inclusión social a través del acceso al mundo laboral de los más desfavorecidos. Se trata de que aquellas personas que se benefician de la protección social no se estanquen y el hecho de percibir un apoyo económico (prestación, subsidio o pensión) les lleve a estar aún más sumidos en la exclusión social.

Se debe combinar la protección económica con medidas personalizadas de apoyo a la inserción laboral, incluyendo entrenamientos en los hábitos y habilidades laborales necesarios, a través de servicios sociales de calidad. Consiste, pues, en integrar las respuestas y hacer que alguien que percibe un apoyo económico por desempleo o discapacidad deba entrar en un programa de inserción laboral[29], llegando incluso a depender el ingreso económico de las medidas de inclusión activa[30].

---

mico y Social y al Comité de las Regiones: Modernizar la protección social en aras de una mayor justicia social y una cohesión económica reforzada: promover la inclusión activa de las personas más alejadas del mercado laboral. COM (2007) 620 final. Disponible en: *www.ec.europea.eu/social*.

28. Vid. Unión Europea, *Active Inclusion of young people with disabilities or health problems. Briefing for National Correspondents*. 2010, p. 4. Disponible en: <*www.eurofound.europa. eu/docs/about/procurement/inclusion2010/specifications.doc.*>.

29. Pues, de otra manera, como recoge ESTEBAN LEGARRETA, R., *Contrato de Trabajo y discapacidad*, cit., p. 268, «concurre un dato sociológico (...) y es que en España las preferencias de los trabajadores con discapacidad se han decantado siempre por la "seguridad" de una pensión, dejándose de lado inciertos procesos de recuperación sin la garantía de pensión ni empleo. La realidad social y la política legislativa han caminado preferentemente hacia las pensiones, con unos resultados clamorosamente pobres en materia de empleo».

30. A este respecto, vid. la reflexión que hacía años atrás ÁLVAREZ DE LA ROSA, M., *Invalidez permanente y Seguridad Social*, cit., pp. 287-288, que, pese a escribirse en el concreto ámbito de la incapacidad permanente se podría aplicar desde nuestro punto de vista a todo el marco de la Seguridad Social en la cual indica que «la Seguridad Social, estructurada como servicio público, implica la evidente necesidad de articular los sistemas de protección de manera armónica para atender los estados de necesidad» y, en coherencia con la finalidad de recuperación para el empleo, «las prestaciones por invalidez, entendidas como reparación del estado de necesidad, deben concretarse a

En conclusión de todo lo visto en este punto, insistimos en que –tal como pide la Unión Europea a través de su Estrategia de Inclusión Activa–, todas las ramas del Sistema de Protección Social deben estar articuladas en pos de la inserción social a través del trabajo[31]. Esta es (o debe ser) la teleología de las medidas de protección social para el colectivo de PCDM y con esta visión es con la que se debería construir las soluciones técnicas e interpretar las dudas en su aplicación normativa.

II. BREVE APROXIMACIÓN HISTÓRICA A LA PROTECCIÓN SOCIAL DE LAS PCDM

Tras establecer nuestra visión de la Protección Social, es menester realizar un acercamiento siquiera sea breve, a cuál ha sido la prestada al colectivo de PCDM a lo largo de la historia. Ello nos ayudará a comprender un poco mejor la realidad actual que revisaremos en los siguientes apartados.

La atención social al colectivo de PCDM se resume muy fácilmente en tres líneas: exclusión social total a través de manicomios durante toda la historia hasta las postrimerías del siglo XX cuando se entiende que estas personas pueden y deben vivir en sociedad, con el resto de ciudadanos y como uno más.

La respuesta social ante las discapacidades, concediéndoles bien ayuda económica, bien prestándoles algún servicio que precisen, se desarrolla fundamentalmente desde el S. XIX con la instauración de la beneficencia pública y la asistencia social[32] y por eso nos ocuparemos especialmente de esta época. Con anterioridad a esta fecha el auxilio a este colectivo devino primeramente por parte de la familia y a continuación por la beneficencia privada, a través prioritariamente de la Iglesia[33].

---

dos grandes grupos de actuaciones específicas: las prestaciones económicas y las de rehabilitación o recuperadoras».

31. Vid. al respecto, el punto 3 de la Comunicación de la Comisión al Consejo, al Parlamento Europeo, al Comité Económico y Social Europeo y al Comité de las Regiones relativa a una Recomendación de la Comisión sobre la inclusión activa de las personas excluidas del mercado laboral. COM/2008/0639 final, accesible en: *http://eur-lex. europa.eu/legal-content/ES/TXT/PDF/?uri=CELEX:52008DC0639&rid=3.*

32. MALDONADO MOLINA, J. A., «Las raíces históricas de la Asistencia Social», en GARCÍA MURCÍA, J., y CASTRO ARGÜELLES, M. A. (Dirs.) y RODRÍGUEZ CARDO, I. A. (Documentación), *Legislación histórica de Previsión Social*, cit., pp. 27-29, llevando a cabo, además, una explicación de las diferencias existentes –de carácter técnico e ideológico–, entre beneficencia y asistencia social.

33. ALONSO SECO, J. M., y GONZALO GONZÁLEZ, B., *La asistencia social y los servicios sociales en España*, 2.ª edición, Ministerio de la Presidencia, Boletín Oficial del Estado, Madrid, 2000, especialmente pp. 64-70, indican cómo es el pensamiento ilustrado el que consigue pasar de la caridad individual a la beneficencia privada y el

1. SIGLO XIX

Ya en el S. XIX, se intentó uniformizar y refundir en una misma legislación toda la beneficencia general o pública y la particular a través de las Leyes de 1822 y 1849[34]. En la primera de ellas, aunque no entró en vigor, debe señalarse que recoge entre los diferentes establecimientos de Beneficencia «las Casas de locos» (artículos 104-126)[35]. En concreto, los dispositivos que establece son las casas de maternidad, casas de socorro, socorros domiciliarios, hospitalidad domiciliaria y la denominada hospitalidad pública (de enfermos, convalecientes y locos). Así, junto con los Hospitales de Enfermos que, como máximo podía haber cuatro por pueblo –por grande que fuera éste–, se contemplaban Hospitales separados para convalecientes y para locos. Estos últimos, denominadas como ya hemos indicado «Casas de locos» debían situarse fuera de la capital, prohibiéndose el uso de determinados métodos, como el encierro continuo, la aspereza en el trato, los golpes, grillos y cadenas.

Años más tarde tiene lugar la primera referencia a las PCDM que ya sí es totalmente aplicable. La encontramos en el artículo 3 del Real Decreto de 27 de enero de 1885[36], que aprueba la Instrucción para la administración y gobierno de los establecimientos de Beneficencia general. En dicho artículo tercero se hace una lista cerrada de los establecimientos de Beneficencia costeados con fondos públicos (del Estado, la provincia o el Municipio) en los que se incluye los manicomios junto con los hospitales de enfermos incurables, decrépitos, ciegos así como los Colegios de ciegos y huérfanos, aunque en el artículo 4 se deja la posibilidad de incrementar el número de estos establecimientos de Beneficencia general. Se establece

---

liberalismo quien propició la transición hacia la beneficencia pública. Por su parte, GOODWIN GREENWOOD, J., «History of disability as a legal construct», en DEMETER et al, *Disability evaluation*, Mosby-AMA, St. Louis (USA), 1996, p. 10, establece cuatro etapas históricas de la atención social al colectivo de PCD: 1) siglos XVII-XIX: secularización; 2) finales S. XIX-mediados S.XX: burocratización; 3) Mediados S. XX: medicalización; y 4) Desde finales S. XX: particularización.

34. En concreto, el Decreto XL, de Establecimiento general de la Beneficencia, sancionado el 23 de enero de 1822 y promulgado el 6 de febrero de 1822 y en segundo lugar, la Ley General de Beneficencia de 20 de junio de 1849. Para mayor detalle, vid. ALONSO SECO, J. M., y GONZALO GONZÁLEZ, B., *La Asistencia Social y los Servicios Sociales en España*, cit., pp. 55 y siguientes. También, MARTÍNEZ-GIJÓN MACHUCA, M. A., *Protección Social, Seguridad Social y Asistencia Social*, cit. pp. 36-40 y MALDONADO MOLINA, J. A., «Los raíces históricas de la asistencia social», cit., pp. 29-32.

35. MALDONADO MOLINA, J. A., «Los raíces históricas de la asistencia social», cit., pp. 29-30.

36. Boletín de la Revista de Legislación y Jurisprudencia, Tomo 74 (1.º de 1885), Imprenta de la Revista de Legislación, Madrid, 1885. Citado en MARTÍNEZ-GIJÓN MACHUCA, M. A., cit., p. 39.

la dirección a cargo del Ministerio de la Gobernación, representado por el Director General de Beneficencia y Sanidad (art. 5). Los gastos de estos establecimientos representan las primeras prestaciones de beneficencia para PCDM que se detallan en el artículo 48: «relación de víveres y utensilios, reposición de camas, útiles de cocina, ropas, etc., gastos de botica y medicinales, gastos de escritorio e imprevistos, gastos generales, obras de conservación, cargas del establecimiento, culto y enterramientos».

Como se puede ver en estos dos primeros precedentes, la atención social a las PCDM es hospitalaria pública, por ser consideradas personas enfermas y, además, incurables, en régimen manicomial cerrado, alejada del resto de la población y sin ninguna expectativa de reinserción social posible. Asimismo, no hay prestaciones individuales para personas físicas sino dotaciones económicas para los establecimientos que prestan la beneficencia pública.

2. SIGLO XX PRIMERA ETAPA, HASTA LA CREACIÓN DE LA SEGURIDAD SOCIAL

Durante el siglo XX diferenciamos dos etapas que tienen como hito histórico de separación la constitución del Sistema de la Seguridad Social a mediados de los años sesenta. Hasta ese momento, existe un continuismo general con lo anterior, si bien con dos diferencias de relativa importancia: por un lado, en la II República, momento en el que se ponen las bases para una Asistencia Social distinta cuyo modelo no pudo desarrollarse por el estallido de la Guerra Civil[37]. Y, por otro, la creación del Sistema de Seguros Sociales, en especial el Seguro de Vejez e Invalidez en el que hay una alusión al trastorno mental.

En esta época destaca el Instituto de Reeducación Profesional, creado por Real Decreto de 4 de marzo de 1922, que pese a ser concebido «sorprendentemente moderno al que le atribuyen las funciones de readaptación funcional, reeducación profesional y tutela social de las PCD. Sin embargo, en su trayectoria legal posterior perdería amplitud de objetivos

---

37. MALDONADO MOLINA, J. A., «Las raíces históricas de la asistencia social», cit., pp. 32.33, indica: «La beneficencia se veía como algo odioso, tanto por su carácter discrecional como por la precariedad y cuantía de las ayudas. Todo ello determinó una nueva noción de Asistencia Pública, relegando la beneficencia al ámbito privado. Es una nueva concepción que se apoya ideológicamente en un modelo de Estado distinto del Estado liberal. Así, si el Estado Liberal fue el caldo de cultivo de la beneficencia pública, el Estado de Derecho lo será de la Asistencia Pública. Ambas cubrían las situaciones de indigencia y máxima necesidad, pero con una filosofía de actuación diferente».

y asociaría la rehabilitación únicamente a las discapacidades derivadas de los accidentes de trabajo»[38].

Durante la II República se regula específicamente en el artículo 15 del Reglamento de Accidentes de 31 de enero de 1933 la protección por Incapacidad Permanente causada por riesgos profesionales, esto es, *lesiones orgánicas y funcionales del cerebro y estados mentales crónicos, psicosis crónicas, estados maniáticos y análogos causados por accidente de trabajo.*

Tras la Guerra Civil, como hemos indicado, se mantiene la financiación de la beneficencia pública en la que se seguiría tratando a las PCDM en los manicomios, primero con el «Auxilio de Invierno» y posteriormente por el «Auxilio Social»[39].

Por su parte seguían teniendo cobertura social «las lesiones orgánicas y funcionales del cerebro y estados mentales orgánicos (psicosis crónicas, estados maniáticos y análogos) causados por accidente, reputados como incurables y que por sus condiciones impidan al trabajador dedicarse en absoluto a cualquier clase de trabajo» recogidas en el artículo 41 del Texto Refundido de la Legislación de Accidentes de Trabajo (Decreto de 22 de junio de 1956)[40]. Como se puede extraer del precepto, se protegían las enfermedades mentales graves derivadas de riesgos profesionales que impedían absolutamente la realización de cualquier trabajo.

Relacionado con la Beneficencia, nos situamos en 1960, muy poco tiempo antes de la Ley de Bases de la Seguridad Social de 1963, momento en el que se crea por la Ley 45/1960, de 21 de julio, el Fondo Nacional de Asistencia Social (conocido por su acrónimo FONAS) con el objetivo de mejorar las condiciones de vida de la población española y el sostenimiento de los establecimientos de beneficencia tanto general (pública) como privada. Su novedad principal radica en que se regulan a través del Decreto 1315/1962, de 14 de junio[41], los Auxilios del FONAS que se establecen como pensiones alternativas a las prestaciones otorgadas por los seguros sociales y otros Entes Territoriales[42]. No son ya ayudas para esta-

---

38. ALEMÁN BRACHO, C., ALONSO SECO, J. M., y GARCÍA SERRANO, M., *Servicios Sociales Públicos,* cit., p. 277.

39. Creados ambos en plena contienda bélica, el primero regulado por la Orden de 2 de febrero de 1937 (BOE de 4 de febrero) y el segundo por el Decreto de 19 de marzo de 1938 (BOE de 23 de marzo). Sobre los mismos, vid. MARTÍNEZ-GIJÓN MACHUCA, *Protección Social, Seguridad Social y Asistencia Social,* cit., pp. 43-44.

40. Vid. TORRENTE GARI, S., *El trastorno mental como enfermedad común en la protección de la Incapacidad Permanente,* Editorial Bomarzo, Albacete, 2007, pp. 19 y ss.

41. BOE de 15 de junio de 1962.

42. Para más detalle, MARTÍNEZ-GIJÓN MACHUCA, *Protección Social...,* cit. pp. 45-49.

blecimientos de beneficencia sino las primeras ayudas de asistencia social configuradas legalmente como pensiones individuales que se conceden, entre otros colectivos, a ancianos y enfermos. Con todo, se caracterizan por no tener fijada una cuantía concreta, sino un máximo del ochenta por ciento de la concedida en el Seguro Obligatorio de Vejez e Invalidez, y por establecer como requisito esencial de los beneficiarios «encontrarse totalmente incapacitados para el trabajo por enfermedad crónica incurable o invalidez física permanente» (art. 3.1.b) del citado Decreto 1315/1962). Como indica MALDONADO MOLINA, las prestaciones del FONAS hasta 1977, se caracterizan por su cuantía exigua para niños y jóvenes, entre 6 y 16 años, «anormales» e indigentes (para facilitar su internamiento en centros), así como ancianos e inválidos para el trabajo. A partir de ese año, sus fondos se incrementaron considerablemente, sobre todo porque pasaron a recibir parte de la tasa de juego recién legalizado y se centra en ayudas para enfermos y enfermos incapacitados para todo trabajo, «siendo la principal herramienta para atender al sector de la población que no estaba cubierto por la Seguridad Social»[43].

Por lo que respecta al Sistema de Seguros Sociales, en 1947 se crea la Caja Nacional del Seguro de Vejez e Invalidez (SOVI) a través del Decreto de 18 de abril de 1947[44], desarrollada a través de la Orden de 18 de junio del mismo año[45], por el que se establecen normas para la aplicación del Decreto recién citado. El artículo 8 del Decreto y el 2 de la Orden indican que, como regla general, se precisan 50 años para la consecución del citado seguro. No obstante, se reconocerá a partir de los 30, en supuestos de extrema gravedad de las lesiones invalidantes[46], a saber: «si la invalidez procede de la pérdida total, o en sus partes esenciales, de las dos extremidades superiores o inferiores, pérdida de movimiento análogo a la mutilación de las dos extremidades superiores o inferiores, pérdida total de la visión o *enajenación mental incurable*» (la cursiva es nuestra).

El SOVI es incompatible con actividad laboral (pública o privada) que determine la inclusión en un Régimen de la Seguridad Social, con la pensión de vejez del SOVI o con pensión del sistema de Seguridad Social.

---

43. MALDONADO MOLINA, J. A., «Las raíces históricas de la Asistencia Social», cit., pp. 40-41.
44. BOE del 5 de mayo de 1947.
45. BOE del 20 de junio de 1947.
46. MALDONADO MOLINA, J. A., *Génesis y evolución de la protección social de la vejez en España*, cit., p. 78, citando a su vez a DE LA VILLA GIL, L. E., y DESDENTADO BONETE, A., *Manual de Seguridad Social*, Aranzadi, Pamplona, 1979, p. 167.

De esta etapa se concluye que la protección social de las PCDM se mantiene en centros manicomiales pero con tres diferencias importantes:

a) Una relativa a la Asistencia Social en la cual se otorgan las primeras ayudas económicas individuales: 1) que no requieren contribución anterior por el beneficiario; 2) que se establecen fuera de los Seguros Sociales existentes en el momento y 3) que son para enfermos totalmente incapacitados para el trabajo, por lo que no tienen la finalidad de inserción laboral.

b) Otra relacionada con el Sistema de Seguros Sociales, en concreto con el SOVI, por el cual se comienza la protección social de la incapacidad permanente por enajenación mental incurable, totalmente incompatible con una actividad laboral.

Y una tercera relacionada con los riesgos profesionales que tienen un régimen jurídico de protección de aquellas enfermedades mentales que deriven de un accidente de trabajo o una enfermedad profesional y que impidan absolutamente la realización de cualquier trabajo.

3. SIGLO XX SEGUNDA ETAPA, LA CREACIÓN DEL SISTEMA DE SEGURIDAD SOCIAL[47]

A partir de la constitución del Sistema de Seguridad Social que, como indica ALONSO-OLEA GARCÍA, desde sus inicios «ha prestado una especial atención»[48] a las PCD, se consolidan las prestaciones económicas (para las contingencias de Incapacidad Temporal y Permanente) que son, en su esencia, las que rigen en la actualidad y que revisaremos con detalle en los apartado siguientes y, además, se crean –como complemento de las anteriores–, diferentes Servicios Sociales para atender teóricamente a

---

47. De esta etapa histórica se encarga con detalle ALONSO-OLEA GARCÍA, B., *El régimen jurídico de la protección social del minusválido*, Editorial Civitas, Madrid, 1997, pp. 151-171.

48. ALONSO-OLEA GARCÍA, B., *La protección de las personas con discapacidad*, cit., p. 87. Así, en la propia Ley de Bases de la Seguridad Social, Ley 193/1963, de 28 de diciembre, «verdadero hito histórico» de la protección jurídica de las PCD hay dos bases relacionadas con la rehabilitación y reeducación de los trabajadores inválidos. La Base tercera, que establece el complemento de las prestaciones de Seguridad Social, a través de los Servicios Sociales. Y la decimoquinta, que crea el Servicio Social de Reeducación y Rehabilitación de Inválidos, con el fin de organizar «con la amplitud necesaria los Centros y Servicios de recuperación fisiológica, reeducación, readaptación y rehabilitación profesional de los trabajadores inválidos». En el plano terminológico y conceptual es interesante reseñar cómo en el origen del Sistema de Seguridad Social, por un lado, existe una equiparación entre PCD e inválido y, por otro, el objetivo de toda la atención social es la reinserción laboral de las PCD.

todo el colectivo de las PCD pero, de hecho, no acogen a las que padecen discapacidad por Trastorno Mental.

Primero, el Servicio Social de Asistencia a Menores Subnormales, creado por el Decreto 2421/1968, de 20 de septiembre[49], que como se puede entender a primera vista, atiende a menores con discapacidad intelectual[50]. No obstante, es importante resaltar cómo ejercía su acción mediante dos medidas de diferente calado: 1) a través de la de la concesión «de una aportación económica de 1.500 pesetas mensuales para contribuir al sostenimiento de los gastos que la educación, instrucción y recuperación de los menores subnormales origine a los familiares que tengan a su cargo»[51]. 2) Por medio del establecimiento «de centros para llevar a cabo la educación, instrucción y recuperación de menores subnormales» (art. 2).

Conviene retener este importante precedente pues la prestación económica, que como se puede observar es el antecedente inmediato de la actual prestación por hijo a cargo, se compatibilizaba con un servicio especializado para la reinserción laboral.

En segundo término, el Servicio Social de Recuperación y Rehabilitación de Minusválidos, creado en 1970 a través del Decreto 2531/1970, de 22 de agosto, tendente a procurar la rehabilitación médica y laboral de los «minusválidos». Este es la primera norma en nuestro ordenamiento jurídico que regula específicamente el empleo de los trabajadores con discapacidad, promoviendo su integración laboral mediante el empleo protegido (artículos 10-15), estableciendo incentivos a las empresas (artículo 16) y creando los centros de empleo protegido (art. 17)[52].

Como se puede comprobar, la influencia de este Decreto y su Orden de desarrollo en la regulación posterior de la LISMI es más que evidente, quedando además patente el objetivo prioritario de la reinserción socio-

---

49. Este Decreto desarrolló la estipulación prevista en la Disposición final 4.ª del Texto Articulado de la Ley de Seguridad Social, Decreto 907/1966, de 21 de abril que preveía que «se concederá una protección especial a las familias con hijos subnormales».

50. Desde el plano terminológico y conceptual, es reseñable la identificación de subnormal con la actual persona con discapacidad intelectual.

51. Regulada por la Orden Ministerial de 8 de mayo de 1070, pervivió hasta 1990 cuando fue derogada expresamente por la Ley 26/1990, de 20 de diciembre, por la que se establecen las Prestaciones No Contributivas de la Seguridad Social.

52. La Orden de 24 de noviembre de 1971, que desarrolla el Decreto de 1970, establece que los beneficiaros de este Servicio Social lo eran «las personas comprendidas en edad laboral que estén afectadas, como mínimo, por una disminución de su capacidad física o psíquica del 33 por 100, que les impida obtener o conservar empleo adecuado, precisamente a causa de su limitada capacidad laboral» (artículo 1). Se acredita la condición de minusválido mediante dos requisitos: el certificado correspondiente y la inscripción en el censo correspondiente de trabajadores minusválidos.

laboral de las PCD desde los orígenes de nuestro Sistema de Seguridad Social.

Estos dos Decretos fueron fusionados por el Decreto 7931/1974, de 21 de febrero, en un único Servicio Social de Recuperación y Rehabilitación de Minusválidos Físicos y Psíquicos (conocido por las siglas SEREM)[53]. Su principal novedad es que extiende la acción protectora a los no afiliados a la Seguridad Social[54]. Sin embargo, la acepción de «Psíquico» se corresponde con discapacidad intelectual por lo que tampoco estos Servicios Sociales llegan a atender al colectivo de PCDM[55].

La conclusión de esta etapa es que por primera vez se comienza a proteger de una manera más sólida e integral a las PCD pero sigue sin atenderse a las que sufren un trastorno mental, provocando su discriminación incluso dentro del propio colectivo.

4. SIGLO XX TERCERA ETAPA, TRAS LA CONSTITUCIÓN DE 1978

No nos extenderemos en este punto porque el análisis detallado de la situación actual que nos interesa especialmente para nuestro estudio, lo realizaremos en el siguiente apartado. No obstante, es menester indicar que aunque la salud mental no está recogida expresamente en la Constitución de 1978, bien por tratar de la salud en general bien por hacerlo de las PCD en su conjunto, podemos recoger los preceptos 14 (derecho a la igualdad y a la no discriminación)[56], 43 (derecho a la salud), 49 (política

---

53. El SEREM se extingue en 1978 cuando sus funciones pasan al Instituto Nacional de Servicios Sociales (INSERSO), Entidad Gestora de la Seguridad Social creada por el Real Decreto-Ley 36/1978, de 16 de noviembre, sobre Gestión institucional de la Seguridad Social, «para la gestión de los servicios complementarios de las prestaciones de la Seguridad Social».

54. GARCÍA VISO, M., e ÍÑIGUEZ DEL VAL, M., «Creación del Servicio Social de Recuperación y Rehabilitación de Minusválidos (1972-73)», en AA.VV., *10 años del Servicio Social de Minusválidos*, INSERSO, Madrid, 1983, p. 38.

55. Vid. a este respecto, en el mismo sentido las reflexiones de ÁLVAREZ DE LA ROSA, M., *Invalidez Permanente y Seguridad Social*, cit., pp. 334-335 en el que psíquico se identifica con persona subnormal y nos indica que toda esta regulación trae su fundamento en la Ley de Bases de Seguridad Social, en concreto de su Base undécima, punto 47, *in fine*, que pretende «una protección especial a la familia con hijos subnormales».

56. Sobre el mismo conviene resaltar la STC 269/1994, de 3 de octubre, por la cual se establece que la discapacidad se incluye dentro de la cláusula abierta del último inciso del artículo 14 CE «o cualquier otra condición o circunstancia personal o social», como causa específica de discriminación, lo que conlleva que pueda establecerse medidas de acción positiva para conseguir la verdadera igualdad real del colectivo de PCD con el resto de la población: «Precisamente porque puede tratarse de un factor de discriminación con sensibles repercusiones para el empleo de los colectivos afectados, tanto el legislador como la normativa internacional (Convenio 159 OIT) han le-

de atención a las PCD), 50 (tercera edad y servicios sociales) y 51 (defensa de los consumidores y usuarios) de nuestra Norma Fundamental. No obstante, lo verdaderamente importante a nuestros efectos y lo que queremos especialmente resaltar, es que el sistema social propugnado en nuestra Constitución posibilitó en 1986, pocos años después de su entrada en vigor, una nueva Ley General de Sanidad[57] que resultó ser un cambio radical de orientación hacia «la rehabilitación y reinserción social» del todos los pacientes en general (art. 6), y del paciente psiquiátrico en particular. En efecto, posibilitó un Capítulo III (artículo 20) dedicado íntegramente a la Salud Mental, por el cual, por primera vez:

1) Se integra plenamente este campo de la atención médica en el sistema sanitario general;

2) Se consigue equiparar a la persona con enfermedad mental a las demás personas que requieran servicios sanitarios y sociales;

3) Se establece que el principio de actuación para la atención de los problemas de salud mental es que debe realizarse en la comunidad, potenciando los recursos a nivel ambulatorio y en el ámbito domiciliario, que reduzcan al máximo posible la necesidad de hospitalización;

4) Que cuando la hospitalización sea necesaria, se realizará en unidades específicas que se crearán en los hospitales generales;

Y 5) se promueve el desarrollo de unos servicios sociales específicos para la rehabilitación, reinserción social y atención integral de la persona con enfermedad mental, para lo cual ha de buscarse la necesaria coordinación sociosanitaria.

Como se puede comprobar, esta Ley pasa a ser el verdadero hito histórico en la protección social de las PCDM y a partir de ella se ha establecido un sistema de atención sociosanitaria a la Salud Mental a nivel de cada Comunidad Autónoma por estar las competencias sanitarias descentralizadas[58]. Dicho sistema está presidido por la atención en la Comunidad y

---

gitimado la adopción de medidas promocionales de la igualdad de oportunidades de las personas afectadas por diversas formas de discapacidad, que, en síntesis, tienen a procurar la igualdad sustancial de sujetos que se encuentran en condiciones desfavorables de partida para muchas facetas de la vida social en las que está comprometido su propio desarrollo como personas. De ahí la estrecha conexión de estas medidas, genéricamente, con el mandato contenido en el artículo 9.2 CE y, específicamente, con su plasmación en el artículo 49 CE». Sobre la inclusión de la discapacidad en el artículo 14 CE, ESTEBAN LEGARRETA, R., *Contrato de Trabajo y discapacidad*, cit., p. 87.

57.   Ley 14/1986, de 25 de abril, General de Sanidad.

58.   Si bien por efecto del Real Decreto 1030/2006, de 15 de septiembre, se establece la car-

el cierre de los manicomios como máximo exponente de la anterior forma de tratar los problemas de salud mental, contraria a los principios más esenciales de la dignidad de la persona, «fundamento del orden político» establecido en nuestra Constitución de 1978 (art. 10.1 CE)[59].

III. PROTECCIÓN ECONÓMICA DE LA DISCAPACIDAD Y SU COMPATIBILIDAD CON EL EMPLEO

Tal como indicamos en la parte introductoria del estudio, uno de los principales apoyos que precisan las PCDM para su inserción laboral es el establecimiento de un sistema de prestaciones económicas públicas que le permitan poder subsistir durante el tiempo que dure su recuperación para el empleo[60]. Esto es, al tiempo que recibe la atención médica, farmacológica y social es conveniente que pueda percibir un apoyo económico hasta que pueda reincorporarse al mundo laboral.

Si el trastorno mental deviene cuando la persona está trabajando, surtirá efectos la protección a través del subsidio de Incapacidad Temporal (IT), cuestión que veremos con detalle en el apartado siguiente. Y si este

---

tera de servicios comunes del Sistema Nacional de Salud y el procedimiento para su actualización. En concreto, la Salud Mental aparece en el Anexo II, apartado 8; Anexo III, apartado 5.1, apartados 5 y 7; Anexo VI, apartado 7 y apartado, 8.6; y el Anexo VII, apartado 8 y 8.1.B.

59. Sobre la reforma psiquiátrica, vid., entre otros, DESVIAT, M., *De locos a enfermos. De la psiquiatría del manicomio a la salud mental comunitaria*, Ayuntamiento de Leganés, Leganés (Madrid), 2007, p. 17, cuando indica: «La reforma psiquiátrica surge cuando la sociedad quiere otro destino para la locura». Tras la II Guerra Mundial «por razones técnicas (el fracaso del hospital psiquiátrico como herramienta terapéutica) y razones éticas –la devolución de la dignidad, el respeto de los derechos de los pacientes mentales–, propician nuevos modelos de atención a los trastornos mentales y, en especial, a la psicosis». Después, se indica cómo en España la reforma no tuvo lugar hasta la década de los 80 del siglo pasado. Como dato importante del estado de la atención a la salud mental previo a la reforma, se recogen estadísticas del Ministerio de Sanidad del año 1982, momento en el que habían 37.613 camas psiquiátricas públicas y el 91% estaban situadas en hospitales psiquiátricos y sólo el 9% en hospitales generales. Además, la mayoría de estas plazas estaban inmovilizadas por estancias de por vida. Por otro lado, sólo el 1,6% de los psiquiatras trabajaban en atención extrahospitalaria.

60. Se recuerda lo visto anteriormente sobre el concepto de recuperación, en inglés *recovery*, por el que se pone de manifiesto una nueva forma de entender los problemas de salud mental. Se trata de que la persona más que curarse, se recupere, esto es, pueda volver a tener un sentido de su vida, con independencia de la enfermedad mental grave y sus síntomas y consecuencias, incluso aunque éstos se mantengan y no remitan totalmente. Existe ya numerosísima bibliografía al respecto. Vid., entre otros, Liberman, R. P., y Kopelwicz, A., «Un enfoque empírico de la recuperación de la esquizofrenia: definir la recuperación e identificar los factores que pueden facilitarla», en *Rehabilitación Psicosocial*, 1(1), 2004, pp. 12-29.

proceso de IT deriva en una Incapacidad Permanente (IP), entrará en juego la cobertura del Sistema de Seguridad de tal contingencia, del que haremos un análisis detallado más adelante.

Por tanto, en este momento lo que nos interesa es la situación de la persona con trastorno mental grave, que pudiendo trabajar[61], o bien no ha llegado nunca a tener un empleo, o bien lo ha tenido pero ya no le cubren las prestaciones contributivas del Sistema de Seguridad antes vistas. Estudiar cómo se atiende a estas personas en esta concreta situación es el objeto del presente apartado.

1. PRESTACIONES SOCIALES DURANTE EL PROCESO DE RECUPERACIÓN PARA EL EMPLEO

El reto de la protección social de las PCDM durante el tiempo que dura su recuperación para el empleo es doble: por un lado, obtener una cierta suficiencia económica que le permita subsistir de una manera digna[62]; y, por otro, no desincentivar el deseo de reincorporarse al mundo laboral[63] para que sean los frutos, no sólo económicos, de su empleo, los que le

---

61. Este es uno de los aspectos más complejos del tratamiento de las PCDM. Como ya se indicó anteriormente, no todas las personas que padecen un trastorno mental grave pueden llegar a trabajar. Determinar cuáles de ellas sí es competencia de los equipos profesionales de los Centros de Salud Mental con la ayuda, si así lo precisan, de los Centros de Rehabilitación Laboral, Psicosocial, o como se puedan denominar en cada Comunidad Autónoma.
Ahora bien, es muy importante tener claro que todas las reflexiones que siguen las realizaremos para PCDM que sí detenten capacidad de trabajo, dejando de lado a las que no la tengan. Sobre todo en lo referente a las pensiones o prestaciones públicas pues desde la Estrategia de Inclusión Activa de la Unión Europea –que en relación a las PCD está en fase de proyecto–, se quiere hacer depender su obtención de la inclusión en un programa de inserción laboral, se tenga o no efectiva capacidad para llegar a trabajar, cuestión que ya hemos criticado en otro lado, vid. DE FUENTES G.ª-ROMERO DE TEJADA, C., «Proyecto de Inclusión Activa de jóvenes con discapacidad...», cit., pp. 49-50.

62. De conformidad con el artículo 34 de la Carta de Derechos Fundamentales de la Unión Europea, todos los ciudadanos de ésta tienen derecho a un apoyo social para combatir la exclusión social y la pobreza, con el fin de garantizarles una existencia digna.

63. Véase, entre otros ejemplos, lo que se establece en el primer párrafo del Real Decreto 1369/2006, de 24 de noviembre (BOE de 5 de diciembre de 2006): «Las directrices sobre el empleo de la Unión Europea, vienen destacando la idea de que una política eficaz frente al desempleo no se debe basar exclusivamente en la garantía de ingresos, sino en la combinación de esta con medidas adecuadas de inserción laboral y, por ello, proponen que los sistemas de prestaciones sociales fomenten activamente la capacidad de inserción de los parados, particularmente de aquellos con mayores dificultades».

permitan la autonomía y la mejoría de su estado de salud[64]. Conseguir el equilibrio entre estos dos objetivos de política social es el verdadero desafío del sistema normativo. Máxime si se piensa que la duración de tal situación de recuperación o rehabilitación laboral es incierta, pudiendo durar varios años en muchas ocasiones[65].

Una primera reflexión nos lleva a entender que debería diferenciarse la protección económica que se otorgue según la situación social del sujeto. No debe atenderse igual a la persona que tenga cónyuge o familia que pueda servirle de apoyo, que a la que no tenga tal estructura familiar. También deben tenerse en cuenta las posibles responsabilidades familiares de la PCDM (hijos, personas dependientes, etc.). Y, en fin, se deberán contemplar en general las circunstancias vitales de la persona (lugar de residencia, distancia al centro de recuperación laboral, si posee vivienda en propiedad –con o sin hipoteca–, edad, otras enfermedades o discapacidades concurrentes, posibilidades de inserción laboral a corto plazo, etc.).

Asimismo, si de lo que estamos hablando es de poder incorporarse al mundo laboral, es posible que se exija a la persona que está en proceso de recuperación o rehabilitación laboral, la obtención de una cualificación determinada. En este caso, debe tenerse en cuenta esta circunstancia para la protección económica que pueda dispensarse (tiempo de formación, coste de la misma, etc.).

Esta cuestión de ponderar las circunstancias personales y sociales de la persona necesitada de protección social no es más que un ejemplo de la aplicación con equidad de las normas jurídicas. La equidad es uno de los principios generales del derecho que, como es sabido, constituyen «una guía interpretativa y criterio superior de realización del Derecho, admitidos en nuestro ordenamiento» (específicamente por el artículo 103.1 CE y 1.4 del Código Civil). En este caso, «se trata de adecuar la norma a la solución del caso concreto, ponderándola o moderando su rigor»[66].

Por su parte, es necesario también tener en cuenta las exigencias que la Unión Europea dispone en relación a las ayudas económicas para las

---

64. Recuérdense los beneficios del trabajo para las PCDM ya vistos en el primer capítulo.
65. El tiempo medio de duración del proceso de rehabilitación laboral en la Red de Centros de Rehabilitación Laboral de la Comunidad de Madrid es superior a los dos años. Ver, al respecto, las memorias anuales de estos dispositivos de servicios sociales especializados.
66. ÁLVAREZ DE LA ROSA, M., *Invalidez Permanente y Seguridad Social*, cit., pp. 188-189. Como concluye el autor citando a GALIANA MORENO, J., se trata de «la superación de la Ley por el Derecho», reflexiones todas ellas hechas hace más de treinta años pero que desde nuestro punto de vista son de indudable aplicación en la actualidad.

personas en riesgo de exclusión social desde su Estrategia de Inclusión Activa de la que hablamos ya en el apartado correspondiente al concepto de Protección Social. En concreto, se aboga por la flexibilización de la protección social para que el apoyo económico que pueda percibir una PCD, sea compatible con los ingresos provenientes del trabajo[67]. Este tema es muy importante en España pues, según un estudio del Instituto Nacional de Estadística[68], el 90,5% de las PCD que perciben una pensión (contributiva o no), no trabajan, mientras que de las que no perciben dicho apoyo económico, tal porcentaje se reduce al 41,6%[69].

Tras estas consideraciones generales, es momento de estudiar cuáles son las respuestas normativas de nuestro sistema de Protección Social para prestar apoyos económicos a las PCDM durante su proceso de recuperación laboral y, en concreto, examinar en qué medida cumplen con los dos objetivos de política social antes indicados: permitir subsistir al individuo sin desincentivar su inserción laboral y, por otro lado, si tienen

---

67. Vid. el punto 7 de la Resolución del Parlamento Europeo de 6 de mayo de 2009, sobre inclusión activa de las personas excluidas en el mercado laboral (2008/2335 (INI)) (2010/C/212 E/06), DOCE 05/08/2010, en el cual «reconoce que la interacción entre la asistencia social y la actividad en el mercado laboral es compleja, en particular cuando el trabajo disponible puede ser de corta duración, temporal, precario o a tiempo parcial y cuando las condiciones para tener derecho a prestaciones y los sistemas de protección social y los tipos impositivos marginales, pueden tener un efecto disuasorio a la hora de aceptar un trabajo remunerado y el sistema de asistencia social es demasiado rígido para responder; insta, por ello, a desarrollar sistemas que apoyen eficazmente a las personas en un período de transición, en lugar de penalizarlas o desincentivarlas o eliminar la asistencia con demasiada rapidez cuando una persona empiece a trabajar».

68. Instituto Nacional de Estadística, «El empleo de las personas con discapacidad 2008», 2010. Disponible en: *http://www.observatoriodeladiscapacidad.es/sites/default/files/Empleo_Personas_discapacidad_2010.pdf.* [2011, septiembre 19]. Como antes ya se comentó, ESTEBAN LEGARRETA, R., *Contrato de Trabajo y discapacidad*, cit., p. 268, recoge «un dato sociológico (...) y es que en España las preferencias de los trabajadores con discapacidad se han decantado siempre por la "seguridad" de una pensión, dejándose de lado inciertos procesos de recuperación sin la garantía de pensión ni empleo. La realidad social y la política legislativa han caminado preferentemente hacia las pensiones, con unos resultados clamorosamente pobres en materia de empleo».

69. Vid. DE FUENTES G.ª-ROMERO DE TEJADA, C., «Inclusión activa de jóvenes con discapacidad...», cit. pp. 54-55. También, más extensamente sobre la Renta y gastos de las PCD y comparando la situación con la población sin discapacidad, RODRÍGUEZ CABRERO, G., *El sector de la discapacidad: realidad, necesidades y retos de futuro. Análisis de la situación de la población con discapacidad y de las entidades del movimiento asociativo y aproximación a sus retos y necesidades en el horizonte de 2020*, Colección CERMI.es, promovido por Fundación ONCE, Grupo Editorial Cinca, S.A., Madrid, diciembre 2012, especialmente pp. 47-50.

en consideración las circunstancias sociales y formativas del sujeto a la hora de determinar su cuantía.

Nos referiremos exclusivamente a las medidas normativas específicamente diseñadas para las PCD y no las establecidas genéricamente para colectivos en riesgo de exclusión social como Leyes de Rentas Mínimas de las Comunidades Autónomas y otras análogas. Tampoco estudiaremos otras ayudas económicas (tanto de la Administración General del Estado, el IMSERSO, como de las CC.AA.) bien individuales, bien institucionales, que no tienen carácter periódico y están sujetas a disponibilidades presupuestarias. Son herederas de las antiguas ayudas con las que se inició la acción asistencial al colectivo de PCD (provenientes del extinguido SEREM, FONAS, etc.) que hemos estudiado en el breve apunte histórico del apartado precedente[70]. Con estas premisas, las normas que pasamos a analizar las podemos dividir en:

1.1. Prestaciones del Sistema de Seguridad Social.

1.2. Prestaciones económicas de la ya derogada Ley de Integración Social de las PCD (LISMI), recogidas ahora en la LGD.

1.3. Ayudas económicas de Servicios Sociales de las Comunidades Autónomas.

Por tanto, como se puede observar, existen unas prestaciones incluidas dentro del Sistema de la Seguridad Social y otras externas al mismo. Quede claro desde el inicio que las principales son las propias de la Seguridad Social, pues las previstas en la LGD han quedado reducidas a una (de movilidad y compensación para gastos de transporte) que además casi no perciben las PCDM por estar diseñada para suplir las dificultades para utilizar el transporte colectivo, cuestión que no es esencial del trastorno mental. En relación con las terceras, las dictadas por las CC.AA. en sus competencias de Servicios Sociales, indicar que son muy específicas y concretas para la situación de la que estamos hablando, por lo que sería recomendable su homogeneidad en todo el territorio nacional, el incremento de su dotación económica, así como su estabilidad. Veamos cada una con detalle.

1.1. Prestaciones del Sistema de Seguridad Social

Tales prestaciones como se acaba de indicar constituyen la parte más importante de la protección social para las PCDM que están en fase de recuperación. Son las cuatro siguientes:

---

70. Para una remisión general a las mismas, vid. ALEMÁN BRACHO, C., ALONSO SECO, J. M., y GARCÍA SERRANO, M., *Servicios Sociales Públicos*, cit., pp. 297-298.

A) Prestación No Contributiva de Invalidez.

B) Prestación por Hijo a Cargo con discapacidad.

C) Renta Activa de Inserción.

D) Pensión de Orfandad, un apunte para una situación muy específica.

A. *Prestación No Contributiva de Invalidez*

Las Prestaciones No Contributivas (PNC) fueron instauradas en nuestro Ordenamiento de la Seguridad Social a través de la Ley de Prestaciones No Contributivas (LPNC) de la Seguridad Social, de 20 de diciembre de 1990. Su regulación está contenida en el Título VI (artículos 351 y siguientes) del Texto Refundido de la Ley General de la Seguridad Social (en adelante LGSS) y en el Real Decreto 357/1991, de 15 de marzo, por el que se desarrollan en materia de pensiones no contributivas la LPNC (en adelante, RPNC). Como es sabido, el fundamento de este tipo de prestaciones, cuya protección se otorga independientemente de la existencia de una cotización previa, sería pretender un nivel mínimo y universal de rentas de subsistencia[71], si bien se ha concretado únicamente para algunas situaciones de necesidad: jubilación, invalidez, maternidad, algunas prestaciones familiares y, en alguna medida, el desempleo. Como indica ALONSO-OLEA GARCÍA las PNC «se configuran como derechos subjetivos pero imperfectos, en cuanto que el nacimiento del derecho a la prestación depende de una circunstancia personal (demostrar un estado de necesidad)»[72].

En este momento, nos ocupamos únicamente de la Prestación No Contributiva de invalidez (en adelante, PNCi) pero no revisaremos todo su régimen jurídico[73] (artículos 363-368 LGSS) sino únicamente algunos aspectos relevantes sobre todo porque consideramos que debe hacerse una

---

71. BLASCO LAHOZ, J. F., y LÓPEZ GANDÍA, J. *Curso de Seguridad Social,* 4.ª edición, Tirant lo Blanch, Valencia, 2012, p. 623, las define como «un mecanismo colectivo de solidaridad». Léanse aquí las reflexiones aún válidas de ALONSO OLEA, M., y TORTUERO PLAZA, J. L., *Instituciones de Seguridad Social,* cit., especialmente pp. 30-31 y 399-403.

72. ALONSO-OLEA GARCÍA, B., *La protección de las personas con discapacidad...,* cit., p. 39.

73. Para una visión general, vid. SEMPERE NAVARRO, A.V., y BARRIOS BAUDIOR, G., *Las Pensiones No Contributivas,* Cuadernos de Aranzadi Social, n.º 6, Aranzadi Editorial, Navarra, 2001. También, FARGAS FERNÁNDEZ, J., *Análisis Crítico del Sistema Español de Pensiones No Contributivas,* Editorial Aranzadi, Navarra, 2002. Igualmente, BLASCO LAHOZ, J. F., *Las Pensiones No Contributivas,* Tirant lo Blanch, Valencia, 2001. Y en particular sobre las PNC de invalidez, vid. ALONSO-OLEA GARCÍA, B., *La protección de las personas con discapacidad,* cit., pp. 145-159.

reflexión para ver si cumplen con los requerimientos de la ya citada Estrategia Europea de Inclusión Activa.

1. Comenzaremos con la propia denominación de esta prestación si bien entendemos que este no es el punto más importante a reformular. Desde nuestro punto de vista debería pasar a denominarse PNC por discapacidad (PNCD) ya que la actual regulación exige en el artículo 363.1.c) de Ley General de la Seguridad Social (en adelante, LGSS) «Estar afectadas por una discapacidad o por una enfermedad crónica, en un grado igual o superior al sesenta y cinco por ciento»[74]. En palabras de RIVAS VALLEJO «la prestación de incapacidad permanente no contributiva no tiene por finalidad otorgar una renta de sustitución de las retribuciones salariales, a diferencia de la prestación contributiva, sino realizar una compensación por la falta de ingresos suficientes para la cobertura de las necesidades básicas del interesado. Es por esto que el ordenamiento jurídico define la prestación de invalidez permanente no contributiva en base a la disminución de las capacidades físicas, psíquicas o sensoriales», esto es, a la existencia de un grado de discapacidad igual o superior al sesenta y cinco por ciento[75]. En este sentido, sería interesante clarificar por un lado, que cuando se tiene la consideración de PCD con el grado del sesenta y cinco por ciento exigido, se tiene derecho a esta prestación no contributiva si se cumplen el resto de requisitos legales (edad, residencia y carencia de rentas). Y, por otro lado, que debería existir otra PNC esta vez sí de incapacidad, para los casos en que la persona que tenga o no tenga la consideración de PCD, no puede acceder a la prestación contributiva de incapacidad por no cumplir con el resto de requisitos legales exigidos (específicamente el período de carencia o de cotización previa)[76]. Por tanto, con la existencia de la diferenciación

---

74. Como indica MELÉNDEZ MORILLO-VELARDE, L., «Sobre la preexistencia de lesiones y su compatibilidad con la declaración de la incapacidad permanente. El trabajo de los discapacitados», en RIVAS VALLEJO, P., y OTROS, *Tratado médico-legal sobre incapacidades laborales. La incapacidad permanente desde el punto de vista médico y jurídico*, segunda edición, Editorial Aranzadi, Cizur Menor (Navarra), 2008, p. 176, «la formulación legal es tan clara que no admite ninguna otra interpretación ni tampoco ningún condicionante a la concesión de la prestación no contributiva (...). El único requisito que se pide en orden a acceder a la protección es que la lesión o lesiones que ocasionan la minusvalía vengan determinadas conforme a los baremos que se contienen en los anexos I y II del RD 1971/1999, de 23 de diciembre» (RDPD).

75. Vid. RIVAS VALLEJO, P. Y OTROS, *Tratado médico-legal sobre incapacidades laborales. La incapacidad permanente desde el punto de vista médico y jurídico*, segunda edición, Editorial Aranzadi, Cizur Menor (Navarra), 2008, p. 130.

76. Recuérdese que la jurisprudencia del TS ya determinó hace años que las declaracio-

de prestaciones que sostenemos y propugnamos, se solventarían algunos de los problemas provocados por la confusión tradicional entre los conceptos de incapacidad/invalidez y discapacidad[77]. No obstante, tal diferenciación de prestaciones ya parece no tener sentido desde el momento en que el legislador ha llevado a cabo una equiparación entre las PCD y las personas a las que se le haya declarado una Incapacidad Permanente Total o Absoluta[78].

2. Más importante, sería reflexionar sobre los beneficiarios de la actual PNCi y, en concreto, sobre el requisito específico de la discapacidad requerida para tener acceso a esta prestación. Como se ha visto en el punto anterior, ahora mismo se exige ostentar un grado del sesenta y cinco por ciento o más de discapacidad para tener derecho a la prestación. Desde nuestro punto de vista, para el colectivo de PCDM se precisaría ampliar el campo de posibles beneficiarios de esta prestación en algunos supuestos. En efecto, entendemos que deberían incluirse a aquellas PCDM que tengan reconocida una D con grado entre un 33 y un 64 por ciento y que lleven un cierto tiempo de situación legal de desempleo (más de un año) y no tengan acceso a otras prestaciones contributivas por tal contingencia[79]. Cuando las PCDM llevan ese tiempo alejado del mundo laboral

---

nes de incapacidad permanente sin derecho a prestaciones económicas son nulas y carecen de efectos jurídicos (SSTS de 14 de octubre de 1991 de la Sala General, recurso 344/1991, reiterada entre otras por 16 de marzo de 1995, recurso 1699/1993). Vid. al respecto, entre otros, FERNÁNDEZ-LOMANA GARCÍA, M., «Compatibilidad trabajo-pensión de incapacidad: evolución de la jurisprudencia del Tribunal Supremo», *Revista Actualidad Laboral*, número 2, febrero 2013, pp. 196-198; también, LÓPEZ GANDÍA, J., y ROMERO RÓDENAS, M. J., *La Incapacidad Permanente: acción protectora, calificación y revisión*, Editorial Bomarzo, Albacete, 2011, p. 65.

77. Al respecto, vid., entre otros, FARGAS FERNÁNDEZ, J., *Análisis crítico del sistema español de pensiones no contributivas*, cit., pp. 268-269.

78. Artículo 4.2 de la LGD que refunde del anterior artículo 1.2 LIONDAU sobre la consideración de persona con discapacidad de los pensionistas de la Seguridad Social que tuvieran reconocida una incapacidad permanente. Sobre tal equiparación, aunque anterior a esta última reforma, vid. ALONSO-OLEA GARCÍA, B. *La protección de las personas con discapacidad*, cit. pp. 149-150, con una valoración muy negativa sobre la misma.

79. Vid. a este respecto y en la misma línea, la reflexión de ALONSO-OLEA GARCÍA, B., *La protección de las personas con discapacidad*, cit., p. 86 en el que «llama la atención la diferencia de porcentaje que existe entre el 33 y el 65 por 100 en orden a poder generar derecho a las prestaciones, servicios y/o beneficios fiscales» y promueve en algunos casos su flexibilización para poder tener acceso a prestaciones sociales. También, Vid. CABRA DE LUNA, M. Á., «discapacidad y aspectos sociales: la igualdad de oportunidades, la no discriminación y la accesibilidad universal como ejes de una nueva política a favor de las personas con discapacidad y sus familias. Algunas consideraciones en materia de protección social», *Revista del Ministerio de Trabajo y Asun-*

precisan más apoyos que el resto de la población para poderse reincorporar al mismo. Por tanto, el acceso a la prestación económica debe ir acompañada de su incorporación a un itinerario individualizado de inserción laboral en un Centro de Rehabilitación Laboral (o como se denomine en cada Comunidad Autónoma)[80], con el objetivo de su reinserción en el trabajo. En todo caso, como decimos, será un acceso temporal y excepcional a la prestación, vinculada a su incorporación a un centro de reinserción laboral y a avances en el mismo. De esta manera se cumpliría en mayor medida con el objetivo de la inclusión activa que propugna la Unión Europea al vincular prestación económica con otros apoyos técnicos para la reincorporación laboral.

3. En línea con lo anterior, la actual PNCi debería vincularse con la incorporación a un recurso de servicios sociales de inserción laboral en el cual la PCDM tendría derecho a un Plan o Itinerario Individualizado de Inserción Laboral. Esta vinculación no sería efectiva para aquellas PCDM para las que los equipos de Salud Mental que las atienden establezcan que no tiene en ese momento capacidad de trabajo. Tal declaración formal de no aptitud para el trabajo, que entendemos debería ser excepcional y para la que puede pedir la colaboración de los Centros de Servicios Sociales especializados en la integración laboral (Centros de Rehabilitación Laboral o como se denomine en cada Comunidad Autónoma) debería regularse.

La fórmula legal frecuentemente utilizada es «siempre que sea posible» la inserción laboral o profesional que, como se observa, encierra un concepto jurídico indeterminado que como indican MONEREO PÉREZ y MOLINA NAVARRETE[81] es «una cláusula condicionadora o precautoria» presente en múltiples regulaciones que se encargan de la materia. Debe aplicarse aquí también la dicción legal del artículo 262.1 de la LGSS que define de modo general la protección por desempleo que está prevista para «quienes, *pudiendo* y queriendo trabajar» (la cursiva es nuestra) pues de lo que estamos hablando es de la circunstancia excepcional de que una PCDM puede no tener la capacidad de llegar a ejercer una actividad profesional con los requerimientos que el mundo laboral exige.

---

tos Sociales, n.º 50, 2004, p. 40, quien abre esta posibilidad específicamente a las PCD «cuando no pudieran lograr un empleo remunerado».

80. Sobre el concepto de este Servicio Social especializado en la inserción laboral de personas con discapacidad mental, vid. infra capítulo III.C.1.c) y V.C.2.a) de este trabajo.

81. MONEREO PÉREZ, J. L., y MOLINA NAVARRETE, C., *El derecho a la renta de inserción. Estudio de su régimen jurídico*, Editorial Comares, Granada, 1999, p. 425.

A este respecto también puede ser interesante la fórmula utilizada por la COMISIÓN EUROPEA, en la Comunicación de la Comisión al Consejo, al Parlamento Europeo, al Comité Económico y Social y al Comité de las Regiones, «Modernizar la protección social en aras de una mayor justicia social y una cohesión económica reforzada: promover la inclusión activa de las personas más alejadas del mercado laboral»[82], que indica: «Llegar hasta aquellos que están en los márgenes de la sociedad y del mercado de trabajo constituye una prioridad económica y un imperativo social. No existe contradicción alguna entre una economía dinámica y eficaz y una economía que prima la justicia social; al contrario, son estrechamente interdependientes. Si, por un lado, el desarrollo económico es indispensable para sustentar la prestación de ayuda social, por otro, la reincorporación al trabajo, <u>siempre que estén en condiciones de realizar una actividad laboral</u>, de las personas más alejadas del mercado laboral y el apoyo a su integración social, son componentes esenciales de la estrategia de Lisboa, cuya meta consiste en explotar al máximo el potencial de nuestros recursos humanos» (el subrayado es nuestro).

Si se enlazan prestación económica e incorporación a un programa individualizado de inserción laboral se cumpliría con el mandato de la Estrategia Europea de Inclusión Activa conforme a la cual deben combinarse las prestaciones económicas y técnicas para conseguir la reinserción laboral del sujeto. En el caso del dispositivo social (Centro de Rehabilitación Laboral o como se denomine en cada Comunidad Autónoma) entendiese que la PCDM tiene capacidad para llegar al mundo laboral pero no llega a lograr su inserción laboral no por motivos vinculados a su patología sino por su propia voluntad o por las circunstancias familiares que hacen que sea una persona sobreprotegida y que, como consecuencia de ello, no ve la necesidad de trabajar, en estos casos se podría suspender el cobro de la PNCi por estos motivos. Para este supuesto que se describe, el Servicio Social (Centro de Rehabilitación Laboral o como se denomine en cada Comunidad Autónoma) debería expedir un informe motivado para que la Seguridad Social determinase la suspensión de la prestación y el tiempo por el cual la persona dejaría de cobrar la PNCi. Con todo esto, se quiere hacer ver que la PCDM que por causa de su D y sus dificultades añadidas no puede acceder al mundo laboral, tiene que tener todos los apoyos (económicos

---

82. COM (2007), 620 final, p. 2.

y técnicos) para conseguir lograr la tan ansiada integración laboral. Pero, por su parte, aquella PCDM que no llegue al mundo laboral por su propia voluntad y ello se concluye tras una intervención social continuada en el tiempo, en coordinación con el equipo de Salud Mental y, en su caso, con la familia de la propia PCDM y tras intentar todas las soluciones técnicas que se entiendan necesarias (intervención psicológica, de terapia ocupacional, en taller prelaboral, por un técnico de empleo o un preparador laboral, prácticas no laborales, cursos de formación, etc.), se llega a la conclusión antedicha de que la persona literalmente «no es que no pueda, sino que no quiere trabajar», entonces esa persona puede entenderse que no es merecedora de la PNCi y podría suspenderse su ganancia. Ello es así porque nuestro sistema de protección social debe, como ya se ha dicho, «basarse no sólo en el compromiso prestacional del poder público sino también, y aunque en diverso grado, en el compromiso personal del individuo de poner de sí todo lo conveniente para conseguir la integración que el poder público ha de propiciar. El principio de solidaridad social exige (...) que el conjunto de los ciudadanos comparta una responsabilidad que es de todos y ponga los medios necesarios para posibilitar un acceso igualitario a las oportunidades y al ejercicio de los derechos sociales»[83].

4. Otro aspecto a considerar en la PNCi es su cuantía. Como es sabido, actualmente la PCD beneficiaria de esta prestación, percibe una cantidad módica mensual de dinero[84] que puede verse incrementada para el caso de que el sujeto sea titular de un contrato de arrendamiento[85]. Ahora mismo, sólo está previsto el supuesto de la

---

83. MONEREO PÉREZ, J. L., y MOLINA NAVARRETE, C., *El derecho a la renta de inserción...*, cit., pp. 73-74. Estas palabras están referidas a la Renta Mínima de Inserción pero trascienden a esta concreta prestación y deben entenderse en general, como ellos mismos dicen en la misma página, «como una 'nueva' forma útil de gestión de lo social». Aplíquese aquí también la dicción legal establecida como norma general de la protección por desempleo, y en alguna medida la PNCi está pensada también para paliar esta contingencia, del artículo 262.1 LGSS que establece que la protección social del desempleo se prevé para «quienes, pudiendo *y queriendo* trabajar» (la cursiva es nuestra) por lo que si se demuestra que una persona no quiere trabajar, se permitiría la suspensión del cobro de la ayuda económica pública prevista para el tiempo en que no se puede conseguir un empleo.

84. Para 2016 se ha establecido por la Ley 48/2015, de 29 de diciembre, de Presupuestos Generales del Estado para el año 2016 (en adelante, LPGE16) que establece la actualización y revaloración de las pensiones para 2016. Las PNC experimentan una revalorización quedando su cuantía anual en 5.150,60 euros íntegros anuales, que se abonan en 12 mensualidades más dos pagas extraordinarias al año. Mensualmente, el beneficiario cobra 14 pagas de 367,90 euros.

85. La cuantía anual se mantiene en 2016 en 525 euros según queda establecido en el

vivienda alquilada para dar lugar a un complemento económico que por cierto consideramos que debería tener algún tipo de actualización periódica según el precio de mercado, en especial para grandes ciudades. El ejemplo de este complemento atendiendo una circunstancia concreta consideramos que es muy interesante y que podría «exportarse» a otras situaciones bien sean personales, bien propias del proceso de inserción laboral. En efecto, en cumplimiento de la Estrategia de Inclusión Activa de la Unión Europea entendemos que en la actual PNCi deberían tenerse en cuenta y atenderse económicamente a otras circunstancias personales (tener hijos menores de edad a su cargo, que el beneficiario sea mayor de una determinada edad –45 ó 50 años– porque está comprobada estadísticamente sus mayores dificultades de inserción laboral, y otras posibles circunstancias personales o sociales entre las que podría estar, por ejemplo, el quedarse huérfano de la que luego se hablará sucintamente) o del propio itinerario de inserción laboral. En concreto, entendemos que se podría tener en cuenta la incorporación a un proceso formativo para que la persona se recicle o se recualifique, para incrementar la cuantía de su PNCi. Para ello, deberían tenerse en cuenta, entre otros, el tipo de formación (preferentemente formación profesional o cursos que posibiliten el acceso al título de cualificación correspondiente), el coste y duración de la formación, sus necesidades de desplazamiento, etc.

Con todo ello lo que se conseguiría sería incrementar la cuantía de la PNCi bien por circunstancias personales que hoy no son tenidas en cuenta (hijos, edad que dificulta la inserción laboral, etc.), bien para atender a gastos que requiere su itinerario de inserción laboral como es específicamente el acceso a un curso de formación, lo que promoverá la realización de éstos tan importantes para volver al mundo laboral tras una etapa alejado del mismo. El resultado será que nuestra PNCi sea, en consonancia con la Estrategia de Inclusión Activa de la UE, una medida de atención social que se adapta mejor a ciertas circunstancias personales y que promueve en mayor medida el proceso de recualificación e inserción laboral, tan necesario para hacer sostenible nuestro sistema de protección social.

5. Por último, es menester realizar unas reflexiones en torno a la compatibilidad de la PNCi con el empleo pues flexibilizar la protección

---

artículo 47 de la LPGE16. La normativa aplicable a este supuesto lo encontramos en el Real Decreto 1.191/2012, de 3 de agosto, por el que se establecen normas para el reconocimiento del complemento de pensión para el alquiler de viviendas a favor de los pensionistas de la Seguridad Social en su modalidad no contributiva.

social para hacer compatible el percibo de una pensión o prestación pública, fundamentalmente con los ingresos provenientes de un trabajo, es un aspecto querido por la Unión Europea. En efecto, tal como indica el Parlamento Europeo en la ya citada al comienzo de este apartado Resolución de 6 de mayo de 2009, sobre inclusión activa de las personas excluidas en el mercado laboral, se deben establecer sistemas de protección social que «en lugar de penalizarlas o desincentivarlas o eliminar la asistencia con demasiada rapidez cuando una persona empiece a trabajar», sean verdaderas prestaciones «que apoyen eficazmente» a las personas que están en un proceso de tránsito hacia el empleo.

Desde 2005[86] se permite la compatibilidad entre la pensión y el empleo durante los cuatro años siguientes a la relación laboral cuando los ingresos provenientes del trabajo que perciba el trabajador, en cómputo anual, no superen una determinada cantidad. Dicha cantidad se ha incrementado sensiblemente tras la última reforma legal de las PNCi llevada a cabo por la Ley de Presupuestos Generales del Estado para 2016[87] estableciéndola en 11.540,73. No obstante, si se interrumpe el cobro de la pensión porque la cantidad de dinero que se recibe efectivamente o se prevé que va a ganar la PCD supera dicho límite, cuando pierde el empleo la PCDM que haya sido beneficiaria de una PNCi deberá volver a solicitar la pensión y, al depender ésta, como se sabe, de los ingresos de las personas con las que convive legalmente en su domicilio (empadronadas), tiene como resultado que para volver a cobrar la prestación se precisa de un farragoso trámite burocrático que desincentiva, sobre todo a la familia de la PCDM, la apuesta por el empleo[88]. Por tanto, se precisaría que se haga efectivo, tal y como indica el párrafo tercero de la letra d) del artículo 363.1 LGSS, la recuperación automática de la prestación cuando se les extinga su contrato de trabajo.

Por otra parte, más adelante junto con la Prestación por Hijo a Cargo y la Renta Activa de Inserción se hará un estudio de conjunto

---

86. Ley 8/2005, de 6 de junio (BOE martes 07/06/2005), para compatibilizar las pensiones de invalidez en su modalidad no contributiva con el trabajo remunerado.

87. Ley 48/2015, de 29 de octubre (BOE de 30/01/2015). El límite indicado de 11.540,73 euros es el resultado de sumar los importes anuales fijados en 2016 para el Indicador Público de Renta de Efectos Múltiples (IPREM), que se cifra en 6.390,13 euros y para la pensión no contributiva de invalidez que es de 5.160,60 euros. Antes de esta modificación, el límite se correspondía con la cuantía del IPREM por lo que el incremento producido representa más de un 44% de subida.

88. En el mismo sentido, ESTEBAN LEGARRETA, R., *Contrato de Trabajo y discapacidad*, cit., p. 259-261.

de la compatibilidad de estas prestaciones con el empleo con una propuesta de modificación legal para hacerlas más compatibles con la Estrategia de Inclusión Activa de la UE.

B. *Prestación Por Hijo a Cargo con discapacidad*

La prestación por Hijo a Cargo con discapacidad (en adelante PHC) es una modalidad de PNC regulada en los artículos 351 y ss. de la LGSS. En lo que a nosotros nos interesa a los efectos del presente estudio centrado en las PCDM, consiste en una asignación económica por cada hijo que tenga reconocida una discapacidad en un grado igual o superior al 65%. Si la PCDM lo es en un grado mayor al 64% es indiferente su edad de cara a que sus familiares perciban una ayuda económica por parte del Sistema de Seguridad Social pues se entiende que están haciendo frente a sus gastos de alojamiento, manutención, transporte, vestido, ocio, etc..

El causante es el hijo con D con grado mayor al 64% y los beneficiarios son los familiares quienes, en virtud del artículo 352.3 LGSS, lo serán con independencia de cuál sea su nivel de ingresos.

La cuantía mensual es la misma de la que se dijo para la PNCi pero en lugar de catorce pagas, en esta prestación únicamente se perciben doce al año[89].

El ingreso de la PHC no es compatible con la PNCi por lo que las familias de las PCDM eligen, según sean sus ingresos, entre una u otra prestación. Si sus ingresos superan los límites para que su hijo obtenga la PNCi, podrán optar únicamente a la PHC.

Dos son las cuestiones de las que consideramos que deberían repensarse en relación a la PHC. Por un lado, quién debe ser el beneficiario de la prestación y, por otro, la compatibilidad entre empleo y esta prestación.

En cuanto a la primera de las cuestiones, entendemos que la PHC casa mal con la Convención de Naciones Unidas que proclama como el primero de sus principios (Art. 3) «El respeto de la dignidad inherente, la autonomía individual, incluida la libertad de tomar las propias decisiones, y la independencia de las personas».

Si la PCD y en nuestro caso la PCDM, es mayor de 18 años y su capacidad no ha sido modificada judicialmente y conserva su capacidad de obrar, no se entiende por qué no es ella quien percibe la PHC. Por tanto, no sólo debería ser el causante de la prestación sino también su

---

89. Para 2016 se ha incrementado en 1euros mensual por la LPGE16 y el beneficiario cobra 12 pagas de 367,90 euros.

beneficiaria. La simple confrontación del tenor literal de los artículos 351 y ss. LGSS con el artículo recién citado de la Convención lleva a colegir que no superan el examen mínimo de ser unos preceptos que respetan la dignidad inherente de la PCD y pensados en pos de su autonomía, su independencia y la libertad de adoptar sus propias decisiones. Por tanto, desde nuestro punto de vista deben modificarse para que el beneficiario de la actual PHC pase a ser la propia PCD [en esta línea está el art. 352.2.c) LGSS].

Si ello es así se debería cambiar la denominación de tal prestación pasando a ser PNC por discapacidad. Y si tal sucede, recuérdese que tal denominación también la hemos utilizado para reformular la actual PNCi. Por tanto, no se entendería que hubiera dos prestaciones públicas que estuvieran pensadas para atender la misma situación de necesidad cual es la de padecer una discapacidad que impide una participación plena y efectiva en la sociedad, en igualdad de condiciones con las demás personas. Por consiguiente se tendría que dejar una única prestación no contributiva por causa de discapacidad en lugar de la situación actual que existe una PNCi que no es por tal incapacidad sino por causa de discapacidad y una PHC cuyo causante debe pasar a ser también el beneficiario de la misma.

Por su parte, en lo que respecta a la compatibilidad de la PHC con el empleo esta prestación sufrió su última modificación en 2007, cuando la Ley 40/2007, de 4 de diciembre[90], de medidas en materia de Seguridad Social subió del 75% al 100% del Salario Mínimo Interprofesional (SMI) la cantidad de dinero que era compatible, en cómputo anual, con la percepción de dicha pensión. Si la PCD cobra siquiera un euro más del SMI, se suspende el cobro de la pensión y si pierde, por la razón que sea, el trabajo, volverá automáticamente a cobrar la pensión (siempre que mantenga el 65% de grado de discapacidad, claro).

Nuestra valoración es ambivalente. Por un lado, es positiva porque permite el retorno automático a la prestación cuando se pierde el empleo. Pero es también negativa en cuanto que no se puede compatibilizar en ninguna medida con trabajos que superen el SMI. Por tanto, desincentiva la realización de trabajos o, mejor dicho, incita a que la PCD sólo quiera realizar trabajos compatibles con su pensión y por ello consideramos que podría mejorarse en alguna medida para cumplir con los requisitos de la Estrategia de Inclusión Activa de la UE. Una vez analizada la siguiente prestación, la Renta Activa de Inserción, realizaremos una propuesta conjunta de reformulación de la compatibilidad del empleo con las tres

---

90. BOE miércoles 05/12/2007, modificando el artículo 351.a) de la LGSS.

prestaciones que actualmente existen para las PCD (PNCi, PHC y Renta Activa de Inserción).

C. *Renta Activa de Inserción*

La Renta Activa de Inserción (en adelante, RAI), como se sabe, «pretende combinar la tradicional técnica de ayuda económica –política pública pasiva de protección social– con la técnica de inserción –vale decir, participación»[91] pues lo que se trata de paliar no es únicamente «una situación de falta de ingresos –pobreza absoluta o relativa–, sino que también comporta una ausencia de participación del sujeto en los diversos ámbitos de la vida laboral e incluso social, que puede llegar a comprender aspectos tan básicos como la vivienda, la educación, la salud, etcétera»[92], que se ha convenido aglutinar en el concepto «exclusión social»[93].

La regulación de la RAI viene contenida en el Real Decreto 1.369/2006, de 24 de noviembre, por el que se regula el programa de renta activa de inserción para desempleados con especiales necesidades económicas y dificultad para encontrar empleo (BOE de 5 de diciembre).

En relación al régimen jurídico de la RAI[94] lo que ahora nos interesa resaltar es que es una prestación que está muy en la línea de la Estrategia Europea de Inclusión Activa impulsada por la Unión al unirse su cobro a la incorporación a un itinerario de inserción laboral. El problema es que, en la práctica, no existe en la inmensa mayoría de los casos, tal itinerario individualizado por lo que se debería regular que para las PCDM el cobro de la RAI viniera de la mano con la entrada en un Centro de Rehabilitación Laboral (o como se denomine en cada Comunidad Autónoma) en el cual están previstos todos los apoyos necesarios para la inserción laboral de las PCDM.

Por lo que respecta a la compatibilidad entre la RAI, cuya cuantía asciende al ochenta por ciento del Indicador Público de Rentas de Efectos

---

91. MONEREO PÉREZ, J. L., y MOLINA NAVARRETE, C., *El derecho a la renta de inserción...*, cit., p. 73.

92. MORENO GENÉ, J. M., y ROMERO BURILLO, A. M., *El nuevo régimen jurídico de la Renta Activa de Inserción (A propósito del Real Decreto 1369/2006, de 24 de noviembre)*, Thomson/Aranzadi, Cizur Menor (Navarra), 2007, p. 19.

93. Sobre el mismo y su distinción con el concepto de pobreza, vid. entre otros, CONSEJO ECONÓMICO Y SOCIAL, *Informe sobre la pobreza y la exclusión social en España. Informe número 8*, Editorial CES, Madrid, 1996.

94. Para un estudio en profundidad, vid. ESTEBAN LEGARRETA, R., «La Renta Activa de Inserción: una perspectiva desde el empleo», en CARDONA RUBERT, M. B. (Coord.), *Empleo y exclusión social: rentas mínimas y otros mecanismos de inserción sociolaboral*, Editorial Bomarzo, Albacete, 2008, pp. 263-281.

Múltiples (IPREM) vigente en cada momento[95], y el cobro de un salario, se permite con un trabajo a tiempo parcial (con un máximo de 33 meses, tiempo máximo que se tiene el derecho a la RAI para las personas con discapacidad), y se suspende el cobro cuando se trabaja a tiempo completo durante los primeros seis meses, pasados los cuales ya no se tiene derecho a su cobro porque se piensa que ha cubierto su finalidad[96].

Tras el siguiente apartado relativo a la pensión de orfandad, veremos en conjunto el tema de la compatibilidad con el empleo de las prestaciones que actualmente puede percibir una PCDM (PNCi, PHC o RAI).

D. *Pensión de Orfandad, un apunte para una situación muy específica*

Como se sabe, la regulación de la pensión de orfandad no menciona la discapacidad pues tienen derecho a dicha pensión, de conformidad con el art. 224 de la LGSS, los hijos del causante bien por ser menor de veintiún años (o veinticinco para los supuestos previstos en el apartado segundo del mismo precepto legal), bien por estar incapacitado para el empleo. No obstante, es en relación a este último punto relativo a la incapacidad profesional por el que, en ocasiones, PCD están de hecho percibiendo la pensión de orfandad aunque no hayan pasado un tribunal médico y tengan una resolución específica de Incapacidad Permanente por parte de la Seguridad Social.

La cuestión parece devenir de una equiparación entre un determinado grado de discapacidad (> 64%) y la situación de Incapacidad Permanente y se suele dar en aquellos casos en que PCD que ya venían percibiendo la Prestación No Contributiva de Invalidez, tienen la desgracia de que fallezca uno de sus progenitores. En ese momento, el Instituto Nacional de la Seguridad Social establece que tal PCD por tener asignado tal grado de discapacidad se considera que está incapacitado para el trabajo y, de hecho, se le permite ser perceptor de la pensión de orfandad, además de manera compatible con la prestación no contributiva que ya venía percibiendo. Tales situaciones las conocemos de primera mano por nuestro trabajo como Técnico de Apoyo a la Inserción Laboral de PCDM en un Centro de Rehabilitación Laboral de la Comunidad de Madrid, en el que varias de las personas atendidas perciben de hecho la pensión de orfandad y, tras preguntar al Director del Instituto Nacional de la Seguridad

---

95. Conforme a lo dispuesto en el artículo 3.2.c) del Real Decreto-Ley 3/2004, de 25 de junio, para la racionalización de la regulación del salario mínimo interprofesional y para el incremento de su cuantía (BOE de 26 de junio).
96. Para un estudio detallado, vid. MORENO GENÉ, J., y ROMERO BURILLO, A. M., *El nuevo régimen jurídico de la Renta Activa de Inserción...*, cit., pp. 224-228.

Social correspondiente éste ratifica la cuestión que se está planteando, indicando que se hace con una finalidad tuitiva para la PCDM.

En la doctrina judicial encontramos también supuestos idénticos. Por ejemplo, véase la STSJ Madrid, n.º 857/1998 de 3 de noviembre[97] en la cual, para proteger a la PCDM el tribunal indica que «de modo que aun cuando en abstracto pueda entenderse que el porcentaje de minusvalía que le aqueja es inferior al de una invalidez para todo trabajo, es indudable que tratándose de desórdenes mentales, la realidad es muy otra de cara al mercado laboral y que sólo teóricamente cabría entender que la actora dadas sus circunstancias y profesión (profesora de piano) se halla en condiciones de realizar alguna actividad con el mínimo de estabilidad y dedicación exigible, deduciéndolo así la Sala de cuanto obra en autos. Y puesto que se trata, en definitiva, de una calificación o valoración, a los efectos litigiosos, de la situación de la actora y ello sólo incumbe a los órganos jurisdiccionales, cabe revocar el criterio del juzgador de instancia aunque se mantenga el relato fáctico, concluyendo, pues, que aquélla se encuentra incapacitada para el trabajo en los términos del art. 175 [actual art. 193] de la Ley General de la Seguridad Social exclusivamente a los fines de este proceso (pensión de orfandad)». También, la STSJ de Asturias, n.º 4091/2003, de 19 de diciembre[98].

La base jurídica de tal equiparación entre discapacidad e incapacidad permanente podría estar en la Disposición Adicional Tercera del Real Decreto 357/1991, de 15 de marzo, por el que se desarrolla en materia de pensiones no contributivas la LPNC (en adelante, RPNC) que aunque no habla para nada de la pensión de orfandad y está regulando otro supuesto totalmente distinto, sí es cierto que equipara el grado del 65% de discapacidad a la incapacidad permanente absoluta para todo trabajo[99]. Este es un ejemplo más de la confusión conceptual existente entre incapacidad y discapacidad en muchos casos de nuestra normativa de protección social.

Nuestra valoración de este concreto supuesto es la siguiente:

Es evidente que la razón que mueve a equiparar discapacidad e incapacidad permanente es provocar una mayor protección económica de la PCD que tiene un alto grado de discapacidad. De hecho, se consigue por este medio incrementar en un alto porcentaje la prestación económica que percibe el beneficiario. Pero está claro que este concreto supuesto

---

97.   AS 1998, 4117.

98.   JUR 2004, 68031.

99.   Sobre este precepto vid. ALONSO-OLEA GARCÍA, B. *La protección de las personas con discapacidad*, cit. pp. 149-150, con una valoración muy negativa sobre el mismo.

está necesitado de una regulación mucho más clara. Las dos opciones que pensamos que podrían utilizarse sería:

a) Ampliar la pensión de orfandad en general para las PCD con grado del 65% o más, durante el tiempo que tenga reconocida esta.

b) Tener más presente, como antes se apuntó, las diferentes circunstancias personales, familiares y sociales de las PCDM en la Prestación No Contributiva de invalidez, pudiendo tener una mayor cuantía de prestación económica para los casos en que pierde a un progenitor[100].

En cualquiera de las dos opciones, en cumplimiento de la Estrategia de Inclusión Activa de la Unión Europea a la que ya hemos hecho alusión en varios puntos del presente trabajo, se debería regular como ya antes se apuntó, que sea obligatorio que los equipos de Salud Mental que atienden a la PCDM deban indicar si tiene o no capacidad de trabajo y, para el caso de que la respuesta sea afirmativa, por un lado, establecer la necesidad de incorporarse a un proceso de recuperación o rehabilitación laboral y, por otro, regular su compatibilidad con el trabajo para incentivar en alguna medida la reinserción laboral.

E. *Compatibilidad entre las prestaciones del Sistema de Seguridad Social y el empleo para una PCDM en fase de recuperación para el empleo. Propuesta de conjunto*

Tal como se ha indicado al estudiar las diferentes prestaciones del Sistema de Seguridad Social que puede percibir una PCDM que está en fase de recuperación de su discapacidad y en búsqueda de empleo y mientras dura esta situación (PNCi, PHC o RAI), entendemos que en el concreto tema de la compatibilidad entre prestación y empleo debería hacerse una reflexión conjunta que llevaría a una modificación legal para acoplar estas prestaciones públicas con la Estrategia Europea de Inclusión Activa[101]. En concreto, entendemos que en este tema de la compatibilidad del salario y la pensión, que es una cuestión que, como antes se apuntó, puede ayudar a que las personas que perciben una prestación pública se animen a trabajar, debería tenerse en cuenta dos variables[102]. Por un lado, el tiempo de

---

100. Vid. supra el apartado correspondiente a la Prestación No Contributiva de invalidez.

101. Tal compatibilidad entre pensiones y trabajo, promovido desde la perspectiva de la Estrategia Europea de la Inclusión Activa algún autor lo ha vinculado al deber de trabajar recogido en el artículo 35.1 CE, sobre el tema, vid. ESTEBAN LEGARRETA, R., *Contrato de Trabajo y discapacidad*, cit., pp. 131 y ss.

102. Estas propuestas que a continuación se exponen son fruto de nuestra experiencia práctica de ver qué efectos tienen las prestaciones públicas en el acceso al trabajo de

compatibilidad entre la prestación y el salario y, por otro, la cuantía que puede ser compatibilizada. Si bien es cierto que tal operación se puede complicar porque es posible que se unan ambas variables en el sentido de permitir la compatibilidad un determinado tiempo si el salario no alcanza una cuantía específica.

En relación al primero de los aspectos, el tiempo de compatibilidad del cobro de la prestación y el salario, no se entiende cómo en las tres prestaciones estudiadas (PNCi, PHC y RAI) no hay un mínimo común denominador y nuestra posición sería favorable a tener un criterio común en este concreto punto. La regulación jurídica debe tener como premisa fundamental que todas las prestaciones tendrían que tener un espacio temporal en el que se pueda compatibilizar con el salario sin poner ningún impedimento porque, de hecho conseguir el trabajo es el fruto de todos los esfuerzos que ha venido realizando la persona durante el tiempo en que se le ha dado esta prestación pública. Si en el momento en que consigue un trabajo, se cierra automáticamente el ingreso público, se ha visto que es un hecho que desincentiva la búsqueda de empleo y consigue el efecto contrario al pretendido, esto es, que la persona (y en concreto las PCDM y/o sus familias) no quieran trabajar porque no saben si van a ser capaces de mantener el empleo.

Sobre este aspecto, las tres prestaciones estudiadas han ido evolucionando, como se ha comprobado en el estudio concreto de cada una, hacia flexibilizar su grado de compatibilidad con el salario por lo que lo que se está proponiendo no sería más que clarificar y unificar en cierta medida su régimen jurídico.

¿Cuánto tiempo sería el recomendable para esta compatibilización entre prestación y empleo? Entendemos que no menos de un año y, en la medida de lo posible, dos años sería el número idóneo ya que éste suele ser el límite temporal que, por regla general, es establecido en una Declaración de Incapacidad Permanente o en un Reconocimiento del Grado de discapacidad para su revisión[103]. También coincide con el límite legal para

---

PCDM, durante el desempeño del puesto de trabajo de Técnico de Apoyo a la Inserción Laboral en un Centro de Rehabilitación Laboral de la Comunidad de Madrid.

103. Tal límite temporal de dos años es el establecido como regla general para la revisión del grado de discapacidad en el artículo 11.2 del Real Decreto 1971/1999, de 23 de diciembre, de procedimiento para el reconocimiento, declaración y calificación del grado de discapacidad (RDPD), «excepto que se acredite suficientemente error de diagnóstico o se hayan producido cambios sustanciales en las circunstancias que dieron lugar al reconocimiento del grado, en cuyo caso, no es preciso agotar este plazo de dos años». Vid. al respecto, ALONSO-OLEA GARCÍA, B., et al, *La protección de las personas con discapacidad,* cit., pp. 83-84.

los trabajos temporales de un mismo trabajador/a realizados para una misma empresa[104]. Por tanto, entendemos que dos años es un tiempo más que prudencial para que las partes del contrato de trabajo se conozcan sobradamente y la PCDM (y su familia), por su parte, tenga confianza en sí mismo como para seguir trabajando y no necesitar del apoyo económico proveniente de una prestación social.

Por su parte, en relación al otro aspecto a tener en cuenta, la cuantía, nos referimos al límite monetario de salario a tener en cuenta para que sea compatible con la percepción de una de las pensiones públicas estudiadas (PNCi, PHC o RAI). En este punto entendemos que también tener un criterio común sería interesante. En concreto, dado las posibles diferencias salariales según las actividades que pueda llevar a cabo la PCDM, consideramos que sería más práctico construir el sistema partiendo tanto del tiempo de jornada del contrato de trabajo que pueda encontrar la PCDM pues a mayor número de horas de jornada (diaria, semanal, mensual o anual), mayor será normalmente la retribución que obtenga, como de la duración del contrato de trabajo obtenido por la PCDM[105].

La regla general que propugnamos será establecer una compatibilidad total entre la pensión y un empleo a tiempo parcial de hasta seis horas de trabajo diario. Si el contrato obtenido es temporal, durará todo el tiempo de duración del contrato, con el límite temporal entre uno y dos años de duración expuesto más arriba. Y si el contrato laboral conseguido por la PCDM es indefinido será compatible con la prestación pública igualmente hasta el año o dos años indicados anteriormente. Este criterio de las seis horas se basa exclusivamente en una razón meramente estadística cual es que la gran mayoría de trabajos a tiempo parcial a los que acceden las PCDM atendidas en los Centros de Rehabilitación Laboral de la Comunidad de Madrid son menores de esta cantidad y de esta manera, se consigue apoyar que el trabajador con discapacidad «pruebe» primeramente con una menor carga laboral horaria, cuestión muy demandada tanto por las propias PCDM como por sus familias.

Por su parte, cuando el empleo obtenido es superior a las seis horas de jornada o es a tiempo completo, dependerá de si se trata de un contrato

---

104. Artículo 15.5 del Estatuto de los Trabajadores, con las diversas modificaciones de la Ley 43/2006 y de la Ley 35/2010.

105. Por su parte, CABRA DE LUNA abogó hace años ya por una compatibilidad entre PNCi y Salario Mínimo Interprofesional. Vid. CABRA DE LUNA, M. Á., «discapacidad y aspectos sociales: la igualdad de oportunidades, la no discriminación y la accesibilidad universal como ejes de una nueva política a favor de las personas con discapacidad y sus familias. Algunas consideraciones en materia de protección social», *Revista del Ministerio de Trabajo y Asuntos Sociales*, n.º 50, 2004, p. 40.

temporal o si es indefinido. Para el primer caso, si el contrato temporal es de duración menor a un año, la compatibilidad se propugna que sea también total, esto es, que se perciba todo el salario y toda la pensión durante esta inserción laboral. Para el caso de que su duración sea mayor a un año, aunque sea una mera previsión por tratarse por ejemplo de una obra o servicio que tiene fecha indeterminada de terminación, o se trate de un contrato indefinido, consideramos que debería regir la suspensión del apoyo económico de la prestación pública con una reactivación automática sin necesidad de un gran trámite burocrático si se pierde el empleo y al finalizar, en su caso, las prestaciones por desempleo de las que pudiera gozar la PCDM, con igual límite de tiempo de entre y dos años visto con anterioridad.

Como conclusión de este punto, las reglas que deben presidir nuestro sistema de protección social de las PCDM en fase de recuperación para el empleo para armonizarlo con la Estrategia de Inclusión Activa promovida por la Unión Europea deben ser: por lo que respecta al tiempo, la compatibilidad entre pensión y trabajo entre uno y dos años y, en lo referente a la cuantía, dependerá según sea la duración y el tiempo de jornada del contrato conseguido. En el bien entendimiento que a menor duración de contrato temporal y menor tiempo de trabajo diario, mayor debe ser la cuantía de pensión a percibir. En todo caso, la suspensión de la prestación y su reactivación automática para el caso de pérdida del empleo debe tener un papel mucho más relevante de lo que tiene en la actualidad. Todo ello, entendemos que ayudará a incrementar el porcentaje de PCDM que aun disfrutando de una prestación pública (PNCi, PHC o RAI) se animen a trabajar y consigan no depender de dicha ayuda asistencial sino poder vivir de su trabajo y aportar al sistema contribuciones e impuestos que son tan necesarios para el sostenimiento de nuestro actual sistema de protección social.

F. *Compatibilidad entre las prestaciones económicas y la incorporación a un programa de inserción laboral. Propuesta de conjunto*

Aunque ya se ha visto al referirnos específicamente a cada una de las prestaciones estudiadas, conviene dejar claro una cuestión de principio: tal como exige la Estrategia de Inclusión Activa de la Unión Europea, sería interesante que a la prestación económica se uniese una prestación técnica por la cual toda PCDM tuviera derecho a la incorporación a un programa individualizado de inserción laboral (Centros de Rehabilitación Laboral o como se denomine en cada Comunidad Autónoma).

Además de todos los argumentos esgrimidos en anteriores páginas, baste citar como antecedente histórico, como antes se dijo, el Servicio Social de Asistencia a Menores Subnormales, creado por el Decreto 2421/1968, de 20 de septiembre, antecedente inmediato de la actual prestación por hijo a cargo, en el cual se compatibilizaba el ingreso económico con un servicio especializado para la reinserción laboral.

La doctrina más autorizada como es ÁLVAREZ DE LA ROSA también está por la compatibilidad entre las dos prestaciones técnica y económica[106].

1.2. Prestaciones económicas recogidas en la LGD

Como se ya se indicó, las prestaciones específicas para PCD están unas dentro del Sistema de Seguridad Social y otras fuera de dicho sistema, reguladas bien por las CC.AA., bien por la vigente LGD que como ya se dijo refunde entre otras normas la ya derogada LISMI. Nos referimos a estas últimas en este momento.

Las prestaciones, tanto sociales como económicas, que reguló en su día la LISMI y ahora están recogidas en la actual LGD, nacen en desarrollo del artículo 49 CE, que promueve en esencia una política de atención integral y especializada[107] al colectivo. El artículo 8.1 LGD (refunde el art. 12 de la LISMI) lo define como un «sistema especial» de prestaciones sociales y económicas para las PCD. La especialidad deviene de estar destinadas «para las personas con discapacidad que por no desarrollar una actividad laboral, no estén incluidos en el campo de aplicación del Sistema de la Seguridad Social». Se desarrollan una serie de prestaciones sociales y otras económicas, de las que nos encargaremos brevemente de estas últimas[108].

Por lo que respecta a las prestaciones económicas, la LISMI contempló en su día las siguientes: el subsidio de garantías de ingresos mínimos, el subsidio por ayuda de tercera persona y el subsidio de movilidad y compensación por gastos de transporte (art. 12.2. b, c y d, respectivamen-

---

106. Vid. *Invalidez Permanente y Seguridad Social,* cit., p. 335.

107. MONTOYA MELGAR, A. (Dir.), *La protección de las personas dependientes. Comentario a la Ley 39/2006, de promoción de la Autonomía Personal y Atención a las Personas en situación de Dependencia,* Thomson-Civitas, Pamplona, 2007, p. 33.

108. Para una panorámica general sobre los Servicios Sociales para PCD, vid. ALEMÁN BRACHO, C., ALONSO SECO, J. M., y GARCÍA SERRANO, M., *Servicios Sociales Públicos,* cit., pp. 288-295. Por cierto, que no hay ninguno de ellos que esté específicamente diseñado para las PCDM, un ejemplo más de la postergación histórica de este tipo de discapacidad incluso dentro del propio colectivo que se está tratando de salvar desde la última década del Siglo XX, tras la implantación de la Ley General de Sanidad, eso sí, por CC.AA. y sin homogeneizar la atención en todo el territorio nacional.

te). Ahora bien, de los tres subsidios antedichos, los dos primeros (el de garantía de ingresos mínimos y por ayuda de tercera persona) fueron expresamente suprimidos por la Disposición Adicional novena de la Ley de Prestaciones No Contributivas (LPNC) de la Seguridad Social, de 20 de diciembre de 1990, perviviendo con carácter transitorio para los que tuvieran reconocido tal derecho con anterioridad a la LPNC y congelándose su cuantía en la cantidad de 146,86. Tal regulación se ha mantenido básicamente en la LGD (art. 8.3 y Disposición Transitoria única). Por consiguiente, como quiera que ahora no puede accederse a tales subsidios ya suprimidos, nos centraremos en el de movilidad y compensación por gastos de transporte[109], recogido en los arts. 8.1 b) y 31 LGD.

En relación a este último subsidio, se trata de una prestación cuya finalidad es atender los gastos por desplazamientos fuera del domicilio habitual de aquellas PCD que tengan dificultades para utilizar el transporte público (arts. 31 LGD, que refunde el 15 de la LISMI, y 24 del Real Decreto 383/1984, de 1 de febrero, por el que se establece y regula el sistema especial de prestaciones sociales y económicas previstas en la LISMI, norma no derogada expresamente por la LGD y al no haberse modificado en nada los términos del subsidio que se estudia se entiende que sigue vigente).

Por consiguiente, está diseñado para PCD cuya limitación sea física, con grandes dificultades de movilidad, por lo que, por regla general, no accederán a ella el colectivo de PCDM, protagonista de este estudio. No obstante, sí es interesante indicar que se trata de una prestación periódica y de cuantía uniforme que no incluye pagas extraordinarias, que, por tanto, no tiene en consideración ni las circunstancias personales y familiares del sujeto (más que para establecer un límite máximo de ingresos que si se supera no se tiene derecho al subsidio); ni tampoco si la persona se incorpora a un proceso de recuperación laboral o, cuanto menos, si accede a una formación, para regular su cuantía. Asimismo, la compatibilidad del subsidio con el trabajo es francamente muy difícil: no permite estar de alta en ningún régimen de Seguridad Social cuando se solicita y, para el caso de cumplir este requisito, los ingresos anuales no pueden exceder del SMI. Por todo lo anterior, es una prestación muy básica, propia de la época en que fue concebida –mediados de los años 80 del siglo pasado–, que adolece de las características técnicas que son pretendidas en este momento por la Unión Europea dentro de su Estrategia de Inclusión Activa antes aludida en varios puntos de este trabajo, donde se impulsa diseñar

---

109. Sobre la regulación concreta de los subsidios de Garantía de Ingresos Mínimos y de Ayuda de Tercera Persona, vid. ALONSO-OLEA GARCÍA, B., *La protección de las personas con discapacidad...*, cit., pp. 161-162.

las prestaciones sociales con el objetivo prioritario de la reinserción en el mundo laboral.

1.3. Ayudas económicas de Servicios Sociales de las Comunidades Autónomas

Nos referimos en este momento a una serie de ayudas económicas reguladas por las diferentes Comunidades Autónomas, dentro de sus competencias de Servicios Sociales, cuya finalidad es poder sufragar algunos gastos derivados de la inclusión de las personas con enfermedad mental grave y duradera en programas de rehabilitación y reinserción social[110] y, de esta manera, servir para que la persona pueda incorporarse y mantenerse a estos programas en los que se promueve su autonomía personal y su integración social[111].

Como se puede observar, son apoyos económicos específicamente diseñados para la situación a la que nos estamos refiriendo en este apartado: PCDM que se encuentran en proceso de recuperación por lo que la valoración inicial es muy positiva.

Estudiaremos estas ayudas a partir de la regulación establecida en la Comunidad de Madrid. Hay otras Comunidades Autónomas que regulan alguna ayuda semejante pero lo cierto es que la Comunidad de Madrid se encuentra a la vanguardia en la Red de Atención Social a personas con enfermedad mental grave y ha regulado con cierto detalle este particular y, por ello, se toma como ejemplo[112].

Tal como indica la Orden de la Comunidad de Madrid que regula estas ayudas para el año 2016[113], son «un medio adecuado y útil que favorece la integración social (...), evitando que determinadas circunstancias so-

---

110. Para tener acceso a estas ayudas en la Comunidad de Madrid las PCDM deben estar incluidas dentro del Programa de rehabilitación y continuidad de cuidados de los Servicios de Salud Mental del Servicio Madrileño de Salud (artículo 2 Orden 2162/2015, de 28 de diciembre, de la Consejería de Políticas Sociales y Familia, por la que se modifican las bases reguladoras aprobadas por Orden 416/2013, de 24 de abril, de la Consejería de Asuntos Sociales, y se aprueba la convocatoria para el año 2016 de ayudas individuales de apoyo social a personas integradas en programas de rehabilitación y continuidad de cuidados de los Servicios de Salud Mental del Servicio Madrileño de Salud (B.O.C.M. de 15 de febrero de 2016).

111. Art. 3.1 de la Orden 291/2015, de 3 de marzo, antes citada.

112. Para consultar las diferentes prestaciones sociales existentes en las distintas Comunidades Autónomas, vid. la «Guía de Prestaciones para personas mayores, personas con discapacidad y personas en situación de dependencia», edición 2013, que elabora el IMSERSO. Disponible en: *http://www.imserso.es/InterPresent1/groups/imserso/documents/binario/guiapresta2013.pdf*

113. Vid. la Orden 2162/2015, de 28 de diciembre, antes citada.

cioeconómicas desfavorables (...) puedan hacer inviable su acceso a las actividades de dichos programas» de reinserción sociolaboral.

En la actualidad, continuando con lo establecido desde 2014, sólo existe ayuda para alojamiento. No obstante, en años anteriores los tipos de ayudas previstas en la Comunidad de Madrid eran los siguientes:

a) Alojamiento. Ayuda prevista para financiar los gastos derivados del pago de un alojamiento estable que posibilite el arraigo indispensable de la persona en el entorno comunitario.

b) Mantenimiento. Apoyo económico diseñado para financiar los gastos de manutención del beneficiario.

c) Transporte. Asistencia económica para financiar los gastos de transporte público en la Comunidad de Madrid relacionados con las necesidades de rehabilitación del solicitante.

Es importante tener en cuenta que las ayudas tenían naturaleza incompatible y no acumulable por lo que sólo se podría conceder ayuda, en su caso, por uno de los conceptos relacionados anteriormente. Este era uno de los aspectos más problemáticos de las ayudas económicas que se analizan porque una persona tiene necesidad de los tres conceptos (alojamiento, manutención y transporte) y desde 2014 la cuestión se ha recrudecido pues únicamente ahora se contempla la ayuda de alojamiento.

En relación a la cuantía de la ayuda ésta dependía del tipo de ayuda que se concedía. En concreto:

a) Para el *alojamiento* estable, el importe máximo anual según el actual art. 10 de la Orden de la Comunidad de Madrid antedicha es de 7.156 euros/año. En años anteriores esta cantidad era del 100% del IPREM vigente para el año en curso pero desde 2014 se ha reducido su montante pues en la actualidad la cuantía del IPREM anual (7.455,14 euros/año) es superior a la cuantía límite antes referida. En todo caso, se mantiene el requisito de no poderse conceder ayuda por importe superior al coste del alojamiento.

b) Para el *mantenimiento*, el importe a percibir en 2011 por ejemplo era de 133 euros mensuales. Tal ayuda desde 2014 ya se ha suprimido.

c) Para el *transporte*, la cuantía a conceder era el coste del abono de transporte de la zona del Consorcio Regional de Transportes de Madrid que correspondía, teniendo en cuenta la residencia del solicitante y los puntos de la Comunidad de Madrid donde se desarrollaban las actividades contempladas en su plan de rehabilitación individualizado.

Como se puede ver, la cantidad no era exigua pero precisaba ya de un cierto incremento, sobre todo en el aspecto del alojamiento –no adaptado al precio de mercado de una Comunidad como la de Madrid–, y de manutención para situaciones en las que la PCDM tuvieran cónyuge y/o hijos. En la actualidad, se mantiene la tendencia impuesta en 2014 de sólo contemplar ayudas de vivienda y en 2016 se mantiene la cuantía instaurada en 2015, año en el que la cuantía de esta ayuda se incrementó ligeramente.

Por lo que respecta a los criterios específicos de las PCDM para poder ser beneficiario de las ayudas, el artículo 6 del capítulo II de la citada Orden de la Comunidad de Madrid establece dos requisitos: por un lado, disponer de un alojamiento estable que no tenga carácter gratuito para el solicitante lo cual debe acreditar con el justificante del pago de dicho alojamiento, no pudiendo ser arrendadores ni el cónyuge o situación asimilada, ni las personas con grado de parentesco con el solicitante de primer grado por consanguinidad o afinidad ni aquellas que ejerzan las figuras de tutela o curatela y, por otro, la no superación de un determinado límite de ingresos brutos que coincide con el límite de la ayuda anual: 7.156 euros anuales.

En años anteriores sólo había un requisito cual era que la persona no superar un límite de rentas cuya cuantía dependía del tipo de ayuda solicitada[114]. A saber:

1. Para la de alojamiento: no superar el IPREM.

2. Para la manutención, por su parte, tal límite de ingresos se computaba diferenciando el tipo de vivienda donde vivía el solicitante y se tenía en cuenta si tenía hijos menores carentes de ingresos. De este modo:

    a) si la persona vivía sola, o en una residencia o piso supervisado junto con otras personas con trastorno mental: no podía superar la cuantía de la PNC vigente para ese año.

    b) si vivía en vivienda por la cual no abonaba contraprestación alguna, con hijos menores que perciben ingresos: sus ingresos no pueden superar la cuantía de la PNC vigente en el año, incrementada con la Renta Mínima de Inserción aplicable a ese año.

3. Ayuda de transporte: Igualmente se diferenciaba según dónde vi-

---

114. Para años anteriores, vid. por ejemplo, la Orden 396/2011, de 18 de abril, de la Consejería de Familia y Asuntos Sociales, por la que se aprueba la convocatoria para el año 2011 de ayudas individuales de apoyo social a personas integradas en programas de rehabilitación y reinserción social de los Servicios de Salud Mental del Servicio Madrileño de Salud. B.O.C.M. núm. 112, 13 de mayo de 2011.

viese la persona solicitante, y para el caso de convivir con su familia, el número de miembros de ésta:

a) si la persona vivía sola, o en una residencia o piso supervisado junto con otras personas con trastorno mental: no podía superar la cuantía del IPREM vigente para ese año.

b) si convivía con su familia (cónyuge o situación asimilada, hijos u otras personas dependientes y padres del solicitante) se tenía en cuenta el número de miembros de la unidad familiar para determinar el límite de ingresos:

   i. Dos miembros: IPREM + 3.960 euros.

   ii. Tres o más miembros: la cantidad anterior + 1.200 euros por persona adicional.

Respecto a los requisitos exigidos se puede indicar:

1. En años anteriores a 2014 se tenían en cuenta varias circunstancias personales y familiares de la PCDM, sobre todo para las ayudas de manutención y transporte.

2. Pero era bastante compleja la compatibilidad de estas ayudas con un trabajo del solicitante.

Por todo lo anterior, como valoración general de las ayudas reguladas por las Comunidades Autónomas para sufragar diversos gastos derivados de la inclusión de las personas con enfermedad mental grave en programas de rehabilitación y reinserción social y, de esta manera, servir para que la persona pueda incorporarse y mantenerse en dichos programas, podemos indicar lo siguiente:

– Son verdaderamente interesantes porque son las únicas ayudas económicas que están diseñadas concretamente para el colectivo de PCDM que se encuentran en fase de rehabilitación y reinserción social. En ellas se incluyen diferentes situaciones de apoyo social (estancias en Centros de Rehabilitación Psicosocial, Centros de Día, Minirresidencias, Equipos de Apoyo Social Comunitario, etc.). Por ello, se tendría que especificar algunas consideraciones particulares para los casos en los que la PCDM se encuentre en un Centro de Rehabilitación Laboral o como se denomine en cada Comunidad Autónoma, sobre todo en lo relativo a la compatibilidad de la ayuda con el empleo y a su cuantía en casos de acceso a una formación prologada en el tiempo.

– Además, cumplen bastantes premisas de la Estrategia de la Unión

Europea de Inclusión Activa, aunque en la línea de lo establecido en la reflexión del punto anterior, se podría mejorar en cuanto a la compatibilidad con el empleo y la cuantía de la ayuda para los supuestos de incorporación a un itinerario de inserción sociolaboral.

– Debe incrementarse la dotación económica y sería muy deseable que volvieran a estar en vigor los tres tipos de ayuda que existían con antelación a 2014 y, además, para que puedan sufragar los tres conceptos (alojamiento, manutención y transporte) y no sólo uno de ellos como ocurría en años anteriores a 2014.

– Se deberían establecer de una manera estable y no depender de regulaciones anuales.

– Sería deseable que existieran en todas las Comunidades Autónomas para que el nivel de atención social a las PCDM no dependiera del lugar de nacimiento y/o residencia. Para ello, dado que las competencias en Asistencia Social o Servicios Sociales están descentralizadas en las Comunidades Autónomas (art. 149.1.20 CE), se piensa en dos soluciones de técnica jurídica:

Por un lado, incorporar estas ayudas al campo de aplicación del Sistema de la Seguridad Social, posibilidad que desechamos al estar ya contempladas históricamente dentro del concepto de Asistencia Social o Servicios Sociales y preferir la opción siguiente.

Por otro, establecer una regulación nacional a semejanza de la realizada con la Ley 39/2006, de Promoción de la Autonomía Personal y Atención a las Situaciones de Dependencia, incardinada en la habilitación constitucional del art. 149.1.1.ª CE, pues como ha interpretado la STC 13/1992, de 6 de febrero, como quiera que estamos ante «medidas prestacionales tendentes a asegurar un «mínimo vital» para los ciudadanos que garantice la uniformidad de condiciones de vida», su previsión «se inserta lógicamente en las condiciones básicas de la igualdad de todos los españoles en el ejercicio de los derechos constitucionales, que el art. 149.1.1.ª atribuye al Estado como competencia exclusiva»[115].

– Sería recomendable poder incrementar la cuantía de la ayuda en función de las circunstancias personales, familiares y del itinerario de inserción laboral por lo que se debería contemplar si la persona

---

115. Sobre el particular, vid. extensamente, PÉREZ DE LOS COBOS ORIHUEL, F., «Capítulo III: La distribución de competencias entre el Estado y las Comunidades Autónomas en la Ley de Dependencia», en MONTOYA MELGAR, A. (Dir.), *La protección de las personas dependientes*, cit., pp. 87-127, especialmente, pp. 114 hasta el final.

se incorpora a un proceso formativo, su duración y coste del mismo.

– Es aconsejable, asimismo, como establece la Estrategia de Inclusión Activa de la UE que puedan compatibilizarse con la obtención de un empleo, sobre todo para los casos en los que la PCDM se encuentra específicamente en un proceso de recuperación para el empleo a través de un Centro de Rehabilitación Laboral o como se denomine en cada Comunidad Autónoma.

2. INCAPACIDAD TEMPORAL DEL TRABAJADOR CON DISCAPACIDAD MENTAL Y, EN PARTICULAR, SOBRE CUANDO ESTA TERMINA EN UN PROCESO DE INCAPACIDAD PERMANENTE

Tras estudiar las prestaciones económicas que puede disfrutar la PCDM que se encuentra en fase de recuperación y búsqueda de empleo, entendemos que sería conveniente realizar alguna reflexión en relación a la protección por Incapacidad Temporal (en adelante, IT) que brinda nuestro Sistema de Seguridad Social. Nuestro acercamiento a esta figura debe ser breve pues por definición, si la PCDM está cubierta por el subsidio de IT es porque está ya trabajando por cuenta ajena y, por ello, se alejaría del tema central de este trabajo cual es el estudio de las medidas para lograr la inserción laboral de este colectivo. Pero existe una razón por la que nos vamos a detener, reiteramos que de forma breve, en este punto y es que cuando la PCDM está trabajando y cae en una IT por causa de su enfermedad mental, puede ocurrir y de hecho en muchos casos pasa, que tal situación de IT concluya bien en un despido, bien en un proceso de Incapacidad Permanente con el consiguiente alejamiento en ambos casos del mundo laboral de la PCDM. Y, es más, es posible que muchas personas del colectivo protagonista de este estudio no den el paso de la búsqueda de empleo porque temen que si estando trabajando recaen en su patología (tienen una crisis como comúnmente se conoce a estos episodios)[116], no sólo perderán el empleo sino también el apoyo social que pudieran estar percibiendo. De este último aspecto, la compatibilidad entre prestación pública y empleo ya se habló en el punto anterior. Por tanto, reflexionar si en alguna medida en este momento de IT la PCDM puede precisar de algún apoyo que ahora mismo no esté contemplado, sería el objeto de este apartado.

Esta situación de IT intermitente se ha calificado por FALGUERA

---

116. HENDERSON, M., et al., «Work and common psychriatic disorders», cit., p. 201.

BARÓ como un «agujero negro» de nuestra disciplina[117]. Se puede concretar en que una persona afectada de una enfermedad crónica, como es nuestro caso de un trastorno mental grave, pude iniciar procesos de IT en muchos casos que se suceden en el tiempo y va alternando bajas con trabajo. Ello suele conllevar conflictos con el empleador y en ocasiones también con los compañeros.

Dos son las cuestiones en las que nos vamos a detener. Por un lado, la necesidad de incorporación en un proceso de Rehabilitación Laboral para la PCDM que, estando trabajando, recae por motivos relacionados con su enfermedad mental y el proceso de IT dura más de una determinado tiempo. Por otro, el final de la IT y el procedimiento de declaración de una Incapacidad Permanente en alguno de sus grados.

2.1. La Rehabilitación Laboral como apoyo en procesos de IT

La recaída de una PCDM que estando trabajando precisa una IT por motivos relacionados de enfermedad mental con un episodio más o grave y que puede precisar, o no, su internamiento en un centro hospitalario, es un momento sumamente delicado. Si la persona no se consigue recuperar adecuadamente y fuerza el alta médica y su retorno al empleo, puede retroceder muchos pasos en su proceso de normalización y habituación a una vida en la que la enfermedad mental no sea el centro de su existencia. Por su parte, la empresa que desconoce el motivo y el alcance de su IT y todo lo más tiene una aproximación del tiempo de baja que va a precisar su trabajador para volver a su puesto de trabajo, suele desconfiar de su recuperación y activa los procesos necesarios para solucionar la situación y que sus intereses no se vean más afectados, llegando en muchos casos a la exigencia de la ruptura del vínculo laboral.

Ante esta situación, nuestra propuesta, cuyo sustento jurídico lo podemos encontrar en los artículos 14 y 15 LGD en relación con el art. 8.1.d) del mismo cuerpo legal, va en la línea de procurar la entrada en un recurso especializado de apoyo a la integración laboral a la PCDM que se encuentre en IT por una recaída en su patología que dure más de un determinado tiempo.

En el artículo 14 LGD, titulado «Habilitación o rehabilitación médico-funcional» se establece que tiene «como objetivo conseguir la máxima funcionalidad de las capacidades físicas, sensoriales, mentales o intelec-

---

117. Vid. su excepcional trabajo, «Cuando la incapacidad aún no se encuentra declarada: la enfermedad intermitente y su efecto sobre el trabajo», en RIVAS VALLEJO, P., y otros, *Tratado médico-legal sobre incapacidades laborales*, cit. pp. 271 y ss.

tuales». Indica expresamente el derecho de «toda persona que presente alguna deficiencia en sus estructuras o funciones corporales o psicosociales» a «beneficiarse de los procesos de habilitación o rehabilitación médico funcional necesarios para mejorar y alcanzar la máxima autonomía personal posible y poder lograr con los apoyos necesarios su desarrollo personal y participación plena y efectiva en la sociedad en igualdad de condiciones con las demás». Por su parte, el artículo 15 LGD que versa sobre la «Atención, tratamiento y orientación psicológica», mantiene que tales actuaciones psicológicas estarán presentes «durante las distintas fases del proceso interdisciplinar habilitador o rehabilitador» (apartado 1) y, específicamente, indica (apartado 3 *in fine*) que «en todo caso, se facilitarán desde la detección de la deficiencia, o desde el momento en que se inicie un proceso patológico o concurra una circunstancia sobrevenida que pueda desembocar en una limitación de actividad».

En base a estos artículos y concretando, todo proceso de IT que dure o que se prevea que vaya a durar más de tres meses, debe llevar consigo que la PCDM entre en un programa de apoyo de este tipo, que lleva consigo la recuperación de hábitos imprescindibles para una más pronta recuperación, apoyo psicológico e incluso posible apoyo en el propio puesto de trabajo[118]. En este punto, además, sería adecuado que el servicio médico de prevención de la empresa conozca tal situación para informar a la empresa en lo que pueda, sin que en ningún momento pueda violar la Ley Orgánica de Protección de Datos, pero con el objetivo de conseguir la confianza necesaria en el empresario para posibilitar la recuperación de la PCDM sin poner en peligro el puesto de trabajo. A este respecto, véase cómo nuestra Ley de Prevención de Riesgos Laborales (artículo 25.1), transponiendo normativa comunitaria[119], establece una serie de tutelas para los trabajadores que presentan especiales riesgos («por sus características personales o estado biológico reconocido (...) sean especialmente sensibles a los riesgos derivados del trabajo»), entre los que se encuentran las PCD y en concreto las PCDM. En efecto, la STSJ Castilla y León (Burgos), de 20 de abril de 2006[120] indica: «Es necesario distinguir entre un riesgo general que afecta a todos los trabajadores que realicen una deter-

---

118. HENDERSON, M., et al., «Work and common psychiatric disorders», cit., pp. 201 y 204, mantienen la misma opinión pues afirman que cuanto más tiempo esté de baja una persona es más difícil que regrese al trabajo. Estos autores indican que lo ideal sería una revisión entre las 2 y las 6 semanas pero, en todo caso, a las 12 semanas de duración de la enfermedad para incorporarse a terapias concretas de apoyo para poder regresar al trabajo con garantías.

119. Entre otras, especial mención a la Directiva 89/391/CE.

120. Aranzadi Social, 2006, 1.155, cit. en FALGUERA BARÓ, M. A., «Cuando la incapacidad aún no se encuentra declarada...», cit., p. 273.

minada actividad, y un riesgo específico que afecta a un trabajador concreto. En supuestos donde pueda darse una situación de especial riesgo en personas sensibles al mismo, que presentan factores sobreañadidos de padecer daño en su salud debido a sus condiciones personales, es preciso que la empresa evalúe la procedencia de alejar o no a dicho trabajador del puesto de trabajo». Dado que, –sigue argumentando el tribunal– la prestación de servicios instrumentada en un contrato de trabajo «implica la cesión por el trabajador a favor del empleador de una determinada actividad o esfuerzo productivo durante un tiempo determinado», pero, concluye, «no conlleva cesión alguna de la salud, la vida o la integridad física del trabajador a favor del empresario, algo que por su propia naturaleza es, con carácter ordinario, inexigible».

En consecuencia, esta regulación establece un específico mandato preventivo (deber de protección) para con los trabajadores especialmente sensibles entre los que se encuentran las PCDM. Esta tutela va a venir de la mano de la vigilancia de la salud y los exámenes médicos periódicos y pueden conllevar modificaciones en el contenido de las condiciones contractuales de las que son un ejemplo, entre otros muchos posibles, los apartados 4 y 5 del artículo 36 ET[121].

Dado el tiempo que se tarda entre la decisión del equipo de salud mental y la entrada en un recurso de rehabilitación, se estima que tras dos meses de IT, se debería decidir y agilizar el comienzo de la ayuda del equipo social especializado tanto en la integración como en el mantenimiento del puesto de trabajo. La actuación de este servicio debe ir encaminada a procurar la reincorporación laboral, pudiendo una vez conseguida ésta, mantener la atención y la intervención que precise la PCDM, pero estando ya el trabajador sin el riesgo de pérdida de su empleo por el motivo de la baja médica.

2.2. Procedimiento de declaración de una Incapacidad Permanente

Es posible que la IT por motivos de su patología mental de una PCDM acabe por culminar el tiempo legal de duración de esta contingencia (12 meses) e incluso agote el tiempo de prórroga previsto por el artículo 169.1.a) de la LGSS (6 meses) que se puede dar «cuando se presuma que durante ellos puede el trabajador ser dado de alta médica por curación».

Pasado este tiempo y no pudiendo el trabajador reincorporarse a su trabajo, comenzaría el procedimiento para evaluar y calificar la incapaci-

---

121. Vid. FALGUERA BARÓ, M. A., «Cuando la incapacidad aún no se encuentra declarada...», cit., pp. 274-275.

dad permanente (IP) del trabajador. Tal procedimiento es regulado por el artículo 200 de la LGSS, el Real Decreto 1300/1995, de 21 de julio (BOE de 19 de agosto) y por la Orden de 18 de enero de 1996 (BOE de 26 de enero).

En relación a este procedimiento son tres las cuestiones en las que nos quisiéramos detener. Por una parte, la composición de los Equipos de Valoración de Incapacidades; por otra, los informes preceptivos que han de tenerse en cuenta durante la instrucción del procedimiento para la elaboración del informe médico de síntesis y el dictamen-propuesta; y, en tercer término, los supuestos de declaración de IP con reserva de puesto de trabajo.

A.   *Composición de los Equipos de Valoración de Incapacidades (EVI):*

Según establece el artículo 2 del Real Decreto 1300/1995 citado, los EVI estarán compuestos de modo ordinario por un Presidente y cuatro Vocales, teniéndose que designar según prevé el punto primero del artículo 2.4 «un experto en recuperación y rehabilitación (...) cuando del expediente se deduzcan indicios razonables de recuperación del trabajador». Tal experto lo es en rehabilitación física y entendemos que debería disponerse que para el supuesto en el que se esté valorando una IP para una PCDM motivada por su patología mental debería indicarse que tal Vocal experto lo fuera en rehabilitación entendida en su acepción de salud mental[122] o, cuando menos, un médico especialista en psiquiatría idóneo para esta valoración.

B.   *Sobre los informes preceptivos que han de tenerse en cuenta durante la instrucción del procedimiento de IP:*

Como se sabe, para la elaboración del informe médico de síntesis y el dictamen-propuesta, el artículo 5.1 del Real Decreto 1300/1995 y los artículos 8 y 9 de la Orden de 1996 exigen como informes preceptivos el historial clínico que debe remitir el Servicio de Salud que haya atendido al trabajador. Para el caso de las PCDM entendemos que debería incluir, además, para el caso de que estuviera incorporado a un Centro de Rehabilitación Laboral (con la denominación que tenga en cada Comunidad Autónoma), informe de este servicio social especializado en la inserción laboral y el mantenimiento del puesto de trabajo. De otro modo, podría

---

122. Sobre el particular, vid., especialmente, PASTOR, A., BLANCO, A., y NAVARRO, D., (Coords.), *Manual de rehabilitación del trastorno mental grave,* Editorial Síntesis, Madrid, 2010. También, VALMORISCO PIZARRO, S., *Políticas Públicas de rehabilitación laboral de personas con enfermedad mental. Los Centros de Rehabilitación Laboral (CRL) de la Comunidad de Madrid (2008-2012),* Tesis laboral inédita, Getafe (Madrid), enero 2015.

ocurrir –como de hecho ocurre– que desde este Centro de Rehabilitación Laboral se esté trabajando en pos de la recuperación y reinserción laboral de la PCDM y le llegue, sin tener conocimiento previo y sin haber podido expresar su parecer técnico, una posible declaración de IP que echa por tierra en gran medida el trabajo que estaba realizando. Es cierto que normalmente se incluye el criterio técnico de este servicio social especializado en empleo en el informe del médico especialista (psiquiatra público) que atiende a la PCDM pero no es menos cierto que en muchas ocasiones tal aportación no tiene lugar y entendemos que la regulación de este aspecto podría modificarse para evitar que el equipo técnico que está trabajando con el objetivo de la reinserción laboral sea en todo caso escuchado.

C. *Los supuestos de declaración de IP con reserva de puesto de trabajo:*

Este es jurídicamente hablando quizá el punto más importante de los tres considerados. Tal cuestión está regulada en el artículo 7 del citado Real Decreto 1300/1995 en el cual se regula que hay supuestos en los aun considerándose que debe declararse una incapacidad permanente, al mismo tiempo, se estima que debe reservarse el puesto de trabajo que venía desempeñando el trabajador en la empresa (*ex* artículo 48.2 ET) porque se establece un plazo igual o inferior a dos años para instar la revisión por previsible mejoría.

Sobre el plazo de revisión de la incapacidad permanente, es reseñable la Sentencia del Tribunal Constitucional 205/2011[123] en la cual indica en su Fundamento Jurídico séptimo que «debe tenerse en cuenta que el plazo mínimo de revisión no se establece de manera general e incondicionada, sino que se fija caso por caso en la resolución administrativa de reconocimiento, que puede ser objeto de recurso si el interesado considera que el plazo fijado no es el adecuado. En consecuencia, ha de entenderse que el plazo que se fija en la resolución resulta, en principio, acorde con las características de las lesiones invalidantes diagnosticadas y con su evolución previsible, actuando así como una razonable limitación a un hipotética reapertura permanente del proceso» tanto para el trabajador como para la entidad gestora. «Un plazo razonable de revisión, ajustado a las características del proceso invalidante, puede constituir así una exigencia de seguridad jurídica y de respeto a la legítima confianza en la estabilidad de los efectos de una declaración administrativa firme».

Pues bien, el art. 48.2 ET se trata, como ya ha mantenido la doctrina, de «una importante excepción a la regla general de extinción del contrato

---

123. BOE de 11 de enero de 2012.

de trabajo por declararse al trabajador afecto de incapacidad permanente total, absoluta o gran invalidez»[124].

Conviene recordar que para que la declaración de IP suspenda el contrato de trabajo han de concurrir los siguientes tres requisitos[125]:

a) que la IT del trabajador se haya extinguido por la declaración de una IP en grado de total, absoluta o gran invalidez. Cuestión de la que ya se ha encargado la doctrina[126] de indicar que si la propia LGSS establece la posibilidad de un «acceso directo» a la IP sin una situación previa de IT, también debe entenderse posible esta suspensión del contrato para estos casos;

b) que sea previsible que el trabajador, dentro de los dos años siguientes a la fecha de declaración de invalidez, vaya a mejorar de sus padecimientos, permitiéndole la reincorporación a su anterior puesto de trabajo;

c) Y c) que tales extremos consten expresamente en la resolución administrativa o judicial que reconoce la situación de IP[127].

Para el tema que nos ocupa, el problema jurídico que se presenta en estos supuestos está en saber si la enfermedad mental es definitiva o, mejor dicho, si las repercusiones en la capacidad laboral del trabajador que ha causado el trastorno mental son permanentes o si puede entenderse que pueden recuperarse aunque con un tiempo incierto de tratamiento. Como bien expresa TORRENTE GARI «hay un cierto grado de reversibilidad perfectamente compatible con una incapacidad permanente»[128]. Y como

---

124. MELÉNDEZ MORILLO-VELARDE, L., «Sobre la preexistencia de lesiones y su compatibilidad con la declaración de incapacidad permanente. El trabajo de los discapacitados», cit., p. 184. En el mismo sentido, VELA TORRES, F. J., «La invalidez como causa de extinción del contrato de trabajo», en ROJO CABEZUDO, R. M. (Dir.), *Patologías invalidantes y su aplicación práctica*, Centro de Documentación Judicial del Consejo General del Poder Judicial, Cuadernos de Derecho Judicial VII, 2004, p. 277. También, ESTEBAN LEGARRETA, R., *Contrato de Trabajo y discapacidad*, cit., p. 390.

125. Sobre los mismos, vid. LÓPEZ GANDÍA, J., y ROMERO RÓDENAS, M. J., *La Incapacidad Permanente: acción protectora, calificación y revisión*, cit., pp. 95-98. También, ESTEBAN LEGARRETA, R., *Contrato de Trabajo y discapacidad*, cit., pp. 393 y ss.

126. MELÉNDEZ MORILLO-VELARDE, L., «Sobre la preexistencia de lesiones y su compatibilidad con la declaración de incapacidad permanente. El trabajo de los discapacitados», cit., pp. 184-185, en el que indica expresamente: «no deben ponerse cortapisas a un derecho del trabajador que se genera con posterioridad a la declaración de IP».

127. Entrando en el detalle de este requisito y también del cómputo del plazo de dos años, vid. LÓPEZ GANDÍA, J., y ROMERO RÓDENAS, M. J., *La Incapacidad Permanente: acción protectora, calificación y revisión*, cit., pp. 96-98.

128. Vid. su magnífico estudio, *El trastorno mental como enfermedad común en la protección de la incapacidad permanente*, cit., pp. 50-52.

indican LÓPEZ GANDÍA y ROMERO RÓDENAS, se puede distinguir una invalidez previsiblemente definitiva y por ello extintiva de la relación laboral y una declaración de invalidez de probable revisión por mejoría y por ello suspensiva de la relación laboral[129].

En el caso de las enfermedades mentales graves, nuestra experiencia y nuestro punto de vista nos llevan a considerar que la regla general debe ser considerar que la mejoría es plausible en el mentado plazo máximo de dos años, pues «un diagnóstico inamovible en los trastornos mentales sólo queda relegado a patologías extremadamente severas»[130] y, por ello, se debería aplicar la suspensión del artículo 48.2 ET con mucha mayor frecuencia. Por tanto, la excepción de la suspensión del contrato cuando se declara una IP en los casos de los trastornos mentales debe ser considerada para las PCDM la regla general. Máxime si consideramos que, tal como hemos sostenido unas líneas antes, cuando la IT supera una determinada cantidad de tiempo el tratamiento médico y farmacológico debe ir acompañado de un proceso de rehabilitación o recuperación laboral. Si tal operación jurídica se estableciera como norma, la suspensión del contrato sería el mayor apoyo que se puede dar a la PCDM que recae temporalmente –aunque sea más tiempo del legalmente previsto para la IT–, en su enfermedad mental. Pasado un cierto tiempo y llevando a cabo el proceso individualizado de inserción laboral con la seguridad que le provoca tener en su mano volver a su puesto de trabajo, es muy probable que tal regreso se produzca, con la consiguiente extinción de la pensión de IP que venía percibiendo. Consideramos tal reserva de puesto de trabajo como el mejor ejemplo de una legislación de protección social que debería tener más en cuenta las dolencias de las personas especialmente sensibles a recaer en una baja médica por padecer una enfermedad crónica pues, como ya se ha dicho, la lógica de fondo de nuestro ordenamiento jurídico «está más pensada en clave de castigo al absentismo que de tutela de derechos de las personas afectadas, que son prácticamente desconocidas»[131].

3. INCAPACIDAD PERMANENTE ABSOLUTA DERIVADA DE UNA ENFERMEDAD MENTAL

Tras analizar la protección jurídica de las situaciones de la PCDM en proceso de recuperación para el empleo y, sucintamente, los supuestos de IT del trabajador con discapacidad mental, nos queda encargarnos de

---

129. En La Incapacidad Permanente: acción protectora, calificación y revisión, cit., p. 96.
130. TORRENTE GARI, S., El trastorno mental..., cit., p. 51.
131. FALGUERA BARÓ, M. A., «Cuando la incapacidad aún no se encuentra declarada...», cit., p. 273.

analizar un asunto complejo[132] y en alguna medida frecuente en la práctica de los Centros de Rehabilitación Laboral o recursos de inserción laboral específicamente diseñados para el colectivo protagonista de este estudio, cual es la pretensión de volver a trabajar de una PDCM que tiene declarada una Incapacidad Permanente Absoluta (IPA) o para todo trabajo.

No vamos a detenernos en estudiar cuándo el trastorno mental debe llevar aparejada una IPA[133], sino en qué medida es compatible la pensión de esta contingencia con el sueldo de un nuevo puesto de trabajo pues como indica el Preámbulo de la Ley 27/2011, de 1 de agosto, sobre Actualización, adecuación y modernización del Sistema de Seguridad Social, «la compatibilidad es una buena medida para favorecer la reinserción de los beneficiarios [trabajadores previamente incapacitados] en el mundo laboral». En efecto, según queda recogido en el estudio de MALO, CUETO y RODRÍGUEZ[134], recibir cualquier tipo de prestación o subsidio tiene un efecto negativo sobre la participación en el mercado laboral (...) mostrando que el factor más importante detrás de este efecto negativo no es la tasa de sustitución sino el diseño de las transferencias de ingresos». De hecho, a mayor pensión por IP no existe un menor incentivo para compatibilizarla con un empleo, salvo cuando la pensión es muy pequeña en cuyo caso la probabilidad de trabajo sí aumenta, lo cual es lógico. Hay otras dos cuestiones más de este trabajo que las recogemos expresamente por su interés y afectación directa al colectivo protagonista de nuestro estudio, las PCDM, y son:

Por un lado, la edad en el reconocimiento de la pensión, de forma que

---

132. «Una paradoja no resuelta» en palabras de NICOLÁS BERNAD, J. A., «El futuro del sistema de pensiones tras la Ley 27/2011: una reflexión crítica», en *Revista Relaciones Laborales*, número 9, 2012, p. 92.

133. Compleja cuestión que ya ha sido estudiada profusamente por doctrina autorizada. Por todos, vid. RIVAS VALLEJO, P., Y OTROS, *Tratado médico-legal sobre incapacidades laborales. La incapacidad permanente desde el punto de vista médico y jurídico*, segunda edición, Editorial Aranzadi, Cizur Menor (Navarra), 2008. También, ROJO CABEZUDO, R. M. (Dir.), *Patologías invalidantes y su aplicación práctica*, Centro de Documentación Judicial del Consejo General del Poder Judicial, Cuadernos de Derecho Judicial VII, 2004, especialmente pp. 32-34 (realizadas por CABUCHOLA MORENO, S.) y 180-191 (escritas por DEL CORRAL GARCÍA, A.).

134. «Compatibilidad entre pensiones contributivas por incapacidad y empleo: el caso español», en Cuadernos de Relaciones Laborales, Vol. 29, número 1, pp. 125-153. De hecho se indica que en 2006 hay un 9,9% de personas que cobran una pensión de IP que están trabajando, porcentaje que en relación a la IPT alcanza el 15,6%. Y en la página 132 se establece: «Este porcentaje es más elevado si se considera el periodo de tiempo transcurrido desde el reconocimiento de la incapacidad permanente, ascendiendo a un 22,2%, lo cual muestra que haber compatibilizado la pensión por incapacidad y el empleo no es una situación mayoritaria, pero es algo que dista de ser anecdótico».

las personas más jóvenes en ese momento tienen mayores probabilidades de compatibilizar trabajo y prestación que las mayores. Es frecuente que trabajadores menores de 45 años, a los cuales les quedaría teóricamente una larga carrera profesional y de cotización, que padecen un trastorno mental y tienen un proceso de incapacidad permanente por este motivo les sea declarada una IPA.

Por otro, que las personas que perciben una IP que ya tenían recogida una discapacidad con anterioridad a recibir la pensión, es más probable que compatibilicen dicha pensión con el trabajo.

Por todos estos motivos, es frecuente que PCDM que ya tengan declarada una IPA quieran y estén en disposición de reincorporarse al mundo del trabajo y que lo consiga dependerá en buena medida de cómo esté diseñado el régimen jurídico de la compatibilidad entre pensión y trabajo. Estudiar la normativa aplicable a esta situación es el objeto del presente apartado.

3.1. Régimen jurídico de la compatibilidad entre IPA y trabajo

Tal como indica SEMPERE NAVARRO[135], la compatibilidad entre prestaciones de Seguridad Social y el desarrollo de una actividad remunerada es «una materia regulada de manera muy deficiente, a causa de su incoherencia, y asistemática, por encontrarse dispersa en diferentes normas que presentan diversos problemas de interpretación. Consecuencia de lo anterior es la conveniencia de dotar de una mayor seguridad jurídica a determinados supuestos de compatibilidad trabajo-pensión, que presentan lagunas regulatorias». Estas palabras que el autor las refiere como reflexión general para todas las prestaciones del Sistema de Seguridad Social, son especialmente aplicables al supuesto que nos ocupa, la compatibilidad de la IPA con un nuevo trabajo por cuenta ajena. En efecto, siguiendo las consideraciones del autor citado, se debe «cuestionar la perspectiva actual de incompatibilidad generalizada entre pensiones y trabajo remunerado, planteando un nuevo escenario de mayor convivencia entre ambas figuras, a través de propuestas imaginativas» pues «conviene admitir fórmulas de transición y de mayor compatibilidad» entre pensiones y trabajo con objeto de racionalizar el gasto público en aras de conseguir la sostenibilidad del actual sistema de pensiones.

Si analizamos la regulación vigente, pese a que en nuestro ordena-

---

135. «El debate sobre incompatibilidad entre pensiones y trabajo productivo», en *Revista Aranzadi Social Doctrinal*, número 9, enero 2013, pp. 15-32. Los entrecomillados que extraemos del texto se encuentran en las pp. 16 y 17.

miento no hay una norma que genéricamente establezca la incompatibilidad del trabajo con la percepción de una pensión de nuestro sistema de Seguridad Social[136], lo cierto es que en el detalle de la regulación de cada prestación se desprende «una clara prevalencia del establecimiento de la incompatibilidad frente a la posibilidad de compaginar el percibo de una pensión con la realización de una actividad remunerada»[137]. La teleología de esta normativa, tal como nos enseñó GETE CASTRILLO hace años[138], consiste en que «desde la reforma operada por la Ley de Bases de 1963 se ha consagrado el principio de que a un solo estado de necesidad corresponde una sola prestación (...) Es aquí donde reside el fundamento último de la incompatibilidad entre la pensión y el trabajo que dé lugar a inclusión en el sistema». No obstante, de acuerdo nuevamente con SEMPERE NAVARRO «la generalización de la incompatibilidad entre pensiones y trabajo no es inamovible en tanto no responde a un principio axiológico e inmutable. Se trata de algo contingente que, lógicamente, puede alterarse si cambian las circunstancias o se aprecia que éstas pueden variar»[139]. Y esto es lo que mantenemos para el colectivo de las PCDM que, desde nuestro punto de vista y nuestra experiencia, estas personas pueden recuperar su capacidad de trabajo y ser capaces de volver al mundo laboral.

Por lo que respecta a la ordenación concreta de la compatibilidad de la IPA y el empleo se encuentra en los apartados 2 y 3 del artículo 198 de la LGSS. El último de ellos, el punto tercero, ha sido incorporado por la Ley 27/2011, de 1 de agosto, mientras que la redacción del apartado segundo es prácticamente idéntica desde la Orden Ministerial de 15 de abril de 1969.

Después hablaremos del apartado tercero, pero al tener mayor enjundia jurídica nos queremos detener en el artículo 198.2 LGSS el cual declara que la pensión de IPA puede simultanearse con determinadas actividades que sean «compatibles con el estado del inválido y que no representen un cambio en su capacidad de trabajo a efectos de revisión».

Partiremos de lo dicho por el Tribunal Constitucional en su Sentencia 205/2011 (BOE de 11 de enero de 2012) en cuyo Fundamento Jurídico

---

136. De hecho como indican ALONSO OLEA, M., y TORTUERO PLAZA, J. L., *Instituciones...*, cit., p. 126, «las prestaciones económicas por incapacidad laboral (excepto las de IT por hipótesis) en general son compatibles con los salarios».

137. SEMPERE NAVARRO, A. V., «El debate sobre incompatibilidad entre pensiones y trabajo productivo», cit., p. 17.

138. «Sobre compatibilidad o incompatibilidad entre la pensión por invalidez permanente y trabajo afiliable a la Seguridad Social», *Revista de Seguridad Social y Sanidad*, VIII, número 3, 1979, p. 371.

139. «El debate sobre incompatibilidad...», cit., p. 19.

sexto indica que como las prestaciones por IP constituyen en el sistema contributivo de la Seguridad Social «un instrumento de protección social frente a la pérdida de empleo y salario derivada de la situación de incapacidad, parece razonable pensar que la concurrencia o no con la pensión de una actividad laboral del pensionista será un dato que necesariamente habrá de tener alguna relevancia en la ordenación del sistema, en la medida que incide sobre el objeto mismo de la protección». Y, por ello, determina que «puede por ello aceptarse, inicialmente, que dicha actividad laboral sea tomada en consideración por el legislador a diferentes efectos, para configurar un régimen jurídico de la protección diferenciado para los pensionistas que trabajan del de aquellos que no trabajan».

Este precepto ha sido interpretado por la jurisprudencia a largo del tiempo de dos diferentes maneras. La primera posición jurisprudencial partía de una interpretación sistemática del término «actividades compatibles con el estado del inválido» que podrían identificarse con las que refiere el artículo 7.5 LGSS para excluirlas del campo del aplicación del Régimen General y que dicho precepto define como aquellas que «en atención a su jornada o a su retribución, pueda considerarse marginal y no constitutivo de medio fundamental de vida». Por ello, la actividad compatible con la pensión de IPA sería aquella que no comprende el núcleo funcional de una profesión u oficio (STS, sala 4.ª, de 20 de diciembre de 1985). El legislador refiere única y exclusivamente a aquellos trabajos de «tipo marginal e intrascendente» porque otro entendimiento del precepto rompería con la propia definición de incapacidad permanente absoluta como aquella situación que impide al trabajador la realización de cualquier actividad por liviana y sedentaria que sea, con lo que «de mantenerse un criterio amplio en la interpretación del precepto citado, el resultado sería, de contradicción plena con el sistema y concluiría al absurdo». A mayor abundamiento, la STS, sala 4.ª, de 13 de mayo de 1986, declaraba que «los trabajos a los que se refiere el precepto denunciado... son aquellos de carácter marginal y de poca importancia que no requieran darse de alta ni cotizar por ellas a la Seguridad Social, es decir, los residuales mínimos y limitados y en manera alguna los que constituyan la profesión u oficio con pleno desenvolvimiento». Doctrina reiterada en posteriores resoluciones (SSTS, sala 4.ª, de 7 de julio de 1986 y 19 de diciembre de 1988)[140].

---

140. Sobre esta postura jurisprudencial, vid. el interesante, completo y ya clásico trabajo de LÓPEZ-TARRUELLA, F., y VIQUEIRA PÉREZ, C., *El trabajo del inválido permanente absoluto. Compatibilidad de la pensión en el nivel contributivo y no contributivo»*, Editorial

1. El cambio de interpretación jurisprudencial se produce con la STS, de la Sala General, de 30 de enero de 2008 (ponente, Sr. De Castro Fernández) en la cual el TS mantuvo que la doctrina que venía sosteniendo hasta ese momento debía cambiarse por las siguientes razones:

2. El derecho al trabajo no puede negarse a quien se encuentra en situación de IPA pues como ya sostuvo ESTEBAN LEGARRETA «todo trabajador en situación de IPA mantiene algún grado de capacidad residual» y, por ello, «el derecho al trabajo de las personas con discapacidad severa, obliga al legislador a diseñar un entorno jurídico suficientemente flexible para no hacer vanas sus aspiraciones y derechos laborales»[141].

3. La literalidad del precepto apunta a la plena compatibilidad trabajo/pensión y no establece límite alguno a la simultaneidad.

4. La opción interpretativa contraria llevaría a hacer de mejor condición al trabajador declarado en IPT que, como se sabe, podría compaginar la prestación con cualquier actividad que no sea la profesión u oficio para la que haya sido declarado inválido, que al declarado en IPA al que se le negaría toda actividad e ingresos y se le podría abocar a la marginalidad.

5. La incompatibilidad tendría un cierto efecto desmotivador sobre la reinserción social y laboral de la persona declarada en IPA.

6. Este planteamiento cobra pleno vigor si se atiende a las nuevas tecnologías.

Esta doctrina se reitera en varias SSTS[142] desde 2008 hasta la de 19 de marzo de 2013 (repertorio 3.055/2013) sin variación posterior conocida.

En la STS de 1 de diciembre de 2009 (repertorio, 1.674/2008), el Alto Tribunal «realiza un esfuerzo de aclaración»[143] para esclarecer que el artículo 198.2 LGSS se orienta a una noción flexible de compatibilidad. Lo

---

Civitas, Madrid, 1991 con su imprescindible Prólogo a cargo de DE LA VILLA GIL, L. E.

141. Sobre el particular, años antes de la citada STS y citando doctrina judicial de Tribunales Superiores de Justicia, vid. ESTEBAN LEGARRETA, R., *Contrato de Trabajo y discapacidad*, cit., pp. 113, 247 y 252.

142. 10 de noviembre de 2008 (RJ 56, 2008) (repertorio de jurisprudencia; 23 de abril de 2009 (RJ 2512, 2008); 14 de octubre de 2009 (RJ 3249, 2008); 22 de diciembre de 2009 (RJ 2066, 2009) y 14 de julio de 2010 (RJ 3531, 2009).

143. FERNÁNDEZ-LOMANA GARCÍA, M., «Compatibilidad trabajo-pensión...», cit., p. 194.

que se valora a efectos del régimen de compatibilidad no son tanto las rentas sino la relación entre el trabajo y el estado del incapacitado, de forma que lo se prohíbe en el primer inciso de este precepto es el ejercicio de aquellas actividades que sean incompatibles (léase inadecuadas o perjudiciales) con el estado (no con la pensión) del beneficiario.

Asimismo, e interpretando el segundo inciso del citado 198.2 LGSS, las actividades no deben representar «un cambio en su capacidad de trabajo a efectos de revisión», como ha dicho FERNÁNDEZ-LOMANA GARCÍA «es importante resaltar que tampoco aquí estamos ante una regla de incompatibilidad (exclusión de la pensión por la percepción de una renta de trabajo), sino ante la constatación de la realización de un trabajo cuyo desempeño pone de relieve que el beneficiario no está realmente incapacitado en el grado concedido (...) el desempeño del trabajo puede no suponer una mejoría en el estado del inválido, pero puede poner de relieve que ese estado ya no resulta determinante de la incapacidad [IPA] reconocida»[144].

Y resumiendo con las propias palabras del último autor citado «la única incompatibilidad que formula el art. [198.2] LGSS para la pensión de IPA es la relativa a las actividades que sean «incompatibles» en el sentido de perjudiciales o inadecuadas para el estado del incapacitado. El desarrollo por éste de actividades no perjudiciales dará lugar, no a una incompatibilidad, sino a una revisión por mejoría o error de diagnóstico. Este es el sistema legal de incompatibilidad y no cabe corregirlo a través de una interpretación restrictiva (...) [pues] el sistema legal ha partido de una reducción muy amplia de las posibilidades de empleo del incapacitado absoluto, pero no ha establecido una incompatibilidad general entre la pensión y las rentas del trabajo»[145].

¿Cuál sería el fundamento de este sistema que más que impedir la nueva actividad del declarado en IPA, limita la posibilidad de compatibilizar la pensión con las rentas del nuevo trabajo? ¿Por qué se veta la realización de «actividades incompatibles» con el estado del declarado en IPA pero a su vez se permite simultanear la prestación y el sueldo de aquellas otras que al ejercerlas no cambie su estado de salud? Desde nuestro punto de vista no puede ser otro que la combinación y una muestra de equilibrio entre dos derechos fundamentales reconocidos en nuestra Carta Magna como son por un lado, el Derecho a la protección de la salud recogido en el artículo 43 y, por otro, el derecho al trabajo de toda persona que promulga el 35 CE[146]. Por lo que respecta al primero, como ya se ha dicho,

---

144. «Compatibilidad trabajo-pensión...», cit. p. 195.
145. Ibídem.
146. En el mismo sentido, vid. LÓPEZ-TARRUELLA, F., y VIQUEIRA, C., *El trabajo del inválido permanente absoluto...*, cit., pp. 96-98.

este artículo no sólo reconoce en abstracto el derecho de los ciudadanos a la protección de la salud, sino que ordena «una serie de normas que deben desarrollarlo y también una multiplicidad de acciones (preventivas, reparadoras, sancionadoras...) que hagan efectivo dicho derecho»[147] y, evidentemente, esta medida del artículo 198.2 LGSS podría ser una de tales acciones. Y, del segundo, ya quedó indicado cómo el propio TS en doctrina reiterada apunta a que tal derecho al trabajo no puede vetarse a quien se encuentra en situación de IPA.

Por consiguiente, como se ve, la jurisprudencia del TS ha variado su posición de primar el artículo 43 sobre el 35 (posición previa al año 2008) a considerar preponderante el derecho al trabajo de las personas con IPA (a partir del citado año 2008). Pero consideramos, humildemente, que el TS ha ido demasiado lejos en esta tesis pues en sus últimas resoluciones sobre este tema, en particular la última ya citada de 19/03/2013 (RJ 3055, 2013) desde nuestro punto de vista se llega a confundir la IPA con la IP Total para la profesión habitual. En esta sentencia se da el caso de que un trabajador autónomo que es el administrador de una empresa de moda juvenil y que, a su vez, trabajaba como dependiente en la misma, padece una enfermedad común degenerativa con protusiones discales. En un primer momento es declarado afecto de IPT para su profesión habitual de dependiente y cuatro años después de IPA. El trabajador deja de realizar el puesto de dependiente pero continúa ejerciendo su condición de administrador de la empresa. Tras los procedimientos judiciales en el Juzgado de lo Social y el TSJ de Asturias, el TS en recurso de casación para la unificación de doctrina considera compatible en este caso el trabajo de administrador solidario de la empresa con la percepción de la pensión de IPA. Consideramos que el TS ha ido más allá de la promoción en la simultaneidad pensión-trabajo necesaria para evitar el «efecto desmotivador sobre la reinserción social y laboral de quien se halla en IPA o Gran Invalidez». Esta medida de compatibilizar la prestación pública con las rentas del trabajo es precisa para aquellas personas que están alejadas del mundo laboral pero no para aquellas que no se han desenganchado en ningún momento de la actividad productiva remunerada, produciéndose lo que algún autor ha denominado «una hiperprotección económica no deseable»[148].

De todo lo dicho se concluye que hay dos tesis opuestas en cuanto a la posible compatibilidad de la pensión de IPA con las rentas de un nuevo

147. BLASCO LAHOZ, J. F., *Las prestaciones sanitarias, tras sus últimas reformas*, Editorial Bomarzo, Albacete, 2013, p. 10.
148. ESTEBAN LEGARRETA, R., *Contrato de Trabajo y discapacidad,* cit., pp. 255-256.

trabajo. De una parte, si se parte de la propia naturaleza jurídica de la IPA que por definición es aquella que trata de sustituir a las rentas de trabajo porque el trabajador ha visto invalidada de modo sobrevenido su capacidad productiva, no se entendería cómo es posible hacerla compatible con las rentas de un posterior empleo sin desvirtuar tal institución jurídica[149].

Apoyando esta tesis nos encontramos, entre otras, la clarificadora y antes citada Sentencia del Tribunal Constitucional 205/2011[150] en su Fundamento Jurídico quinto, que nos recuerda los elementos esenciales que conforman la regulación de la protección por incapacidad permanente en el nivel contributivo, destacando que tiene un «carácter marcadamente profesional, en el sentido de lo que se protege es la disminución o anulación de la capacidad del sujeto protegido para desempeñar un trabajo por cuenta propia o ajena, mediante el reconocimiento, aparte de otras medidas de protección (así, prestaciones de recuperación profesional o medidas de empleo selectivo), de unas prestaciones económicas que sustituyen a las rentas salariales que el trabajador ha dejado de percibir como consecuencia de su lesión o que se ve imposibilitado o dificultado para llegar a percibir».

La otra tesis jurisprudencial en liza es aquella que sostiene que negar el derecho al trabajo a quien se encuentra en situación de IPA no es posible porque así lo reconoce el artículo 35 CE y, de igual manera, parece desprenderse con claridad de la literalidad del precepto estudiado (198.2 LGSS) que lleva a entender que la flexibilidad entre el cobro de la pensión y el trabajo debe ser el principio en el que basar la interpretación normativa. El trabajo es la mejor forma de integración social y del desarrollo de la personalidad y, por ello, las normas sobre compatibilidad deben interpretarse en el sentido más favorable a su realización[151].

---

149. En parecidos términos, NICOLÁS BERNAD, J. A., «El futuro del sistema de pensiones...», cit. p. 93.

150. BOE de 11 de enero de 2012.

151. Vid. en este sentido, FERNÁNDEZ-LOMANA GARCÍA, M., «Compatibilidad trabajo-pensión...», cit. p. 182, quien cita a GIL y GIL, J. L., «Concepto de trabajo decente», *Revista Relaciones Laborales*, número 15-18, 2012: «El trabajo posee distintas dimensiones: personal, social y espiritual o trascendente. El trabajo no se agota en los aspectos meramente materiales, sino que debe permitir la realización personal, la integración en la sociedad y la participación en la comunidad. Tiene que permitir al hombre desarrollar su dimensión espiritual o trascendente». También, CABRA DE LUNA, M. A. indica expresamente que «el empleo es el principal factor de inclusión social en la sociedad», en la entrevista publicada en Europa Press Social (epsocial), 13 de marzo de 2014, valorando el estudio «El empleo de las personas vulnerables: una inversión social rentable», realizado por Cáritas, Cruz Roja, Fundación Once y Secretariado Gitano y publicado por el Fondo Social Europeo en colaboración con el Ministerio de Empleo y Seguridad Social en 2013. Versión descargable en las páginas Web de cada

Dadas estas dos sólidas y bien cimentadas posturas enfrentadas, concluimos compartiendo la invitación al legislador que nuestro Tribunal Supremo realizó en la importante y ya vista sentencia de 30 de enero de 2008 para que regule con mayor detalle una materia tan compleja, pues tal como está redactada en la actualidad no es garantía de seguridad jurídica que a la postre es el mayor apoyo que necesitan las PCDM que tienen declarada una IPA para animarse a realizar un nuevo trabajo[152].

Lejos de realizar tal enmienda legal, el legislador en la citada Ley 27/2011 sin modificar el artículo 198.2 LGSS incorporó un apartado tercero al citado art. 198 LGSS, aplicable a partir de 1 de enero de 2014. En dicho precepto se establece la incompatibilidad entre IPA y trabajo, por cuenta propia o por cuenta ajena, a partir de la edad de acceso a la pensión de jubilación. Por lo tanto, tal como ha concluido toda la doctrina, a sensu contrario, el legislador de facto ha admitido la posibilidad de compatibilizar hasta la edad de jubilación la IPA con el trabajo.

Sólo nos quedaría analizar el criterio de interpretación de la Seguridad Social[153] por el cual permite compatibilizar íntegramente la pensión de IPA con el sueldo por trabajar en un Centro Especial de Empleo. Esta operación de simultaneidad se permite por dos razones: por un lado, porque el factor determinante para la contratación en la empresa protegida es la condición de persona con discapacidad que la detenta toda persona a la que se le ha reconocido una IPA. Y, por otro, y más importante, porque para la Seguridad Social no cabe hablar en estos casos de que se está realizando una actividad profesional. Esta última consideración es en todo punto criticable dada la realidad del trabajo protegido o en Centros Especiales de Empleo (CEE) que existe en nuestro país. En efecto los CEE son verdaderas empresas que realizan su labor en el mercado normalizado, compitiendo con el resto de organizaciones empresariales[154]. Es cierto que

---

una de estas cuatro instituciones. Entre ellas, *http://www.fundaciononce.es/ES/Publicaciones/Paginas/Biblioteca.aspx*

152. Años antes de esta STS, ESTEBAN LEGARRETA, R., *Contrato de Trabajo y discapacidad*, cit., pp. 134-135 ya pedía modificaciones normativas para redefinir la compatibilidad entre trabajo y pensiones. En este texto, se hacía eco de un informe del CERMI del año 1994 que abordaba el particular invitando a legislar la suspensión de la prestación y su recuperación automática una vez finalizada la actividad laboral.

153. Criterio de aplicación 2007/01 de la Subdirección General de Ordenación y Asistencia Jurídica. Pese a ser anterior a la nueva interpretación jurisprudencial analizada que tiene lugar a partir de enero de 2008 las noticias que tenemos al respecto es que sigue estando vigente.

154. En el mismo sentido, DE LORENZO GARCÍA, R., y CABRA DE LUNA, M. Á., «El empleo de las personas con discapacidad», en DE LORENZO GARCÍA, R. y PÉREZ BUENO, L. C., *Tratado sobre discapacidad*, cit., en especial las pp. 1.149-1.151 y 1.189-

realizan una innegable labor de apoyo al trabajador a través del Servicio de Ajuste Personal y Social y, por ello, es posible que el trabajador afecto de una IPA no pueda trabajar en otra empresa que no tenga dicho apoyo pero ello no quiere decir que no sean verdaderas empresas y que el trabajo que desempeña el trabajador con discapacidad no sea considerado una verdadera actividad productiva.

Además, tanto por ser una interpretación interna de la Seguridad Social que, por definición, puede modificarse en cualquier momento, como por el hecho de que sabemos que en algunos supuestos no se ha seguido y se ha revisado el caso, quitándole la pensión al trabajador con discapacidad que se ha puesto a trabajar en un CEE, entendemos que es preciso una regulación más clara del citado artículo 198.2 LGSS.

3.2. Propuestas de modificación del artículo 198.2 LGSS

La doctrina científica ya ha afrontado el reto de realizar propuestas concretas de mejora de la regulación legal del 198.2 LGSS. En concreto, LÓPEZ-TARRUELLA Y VIQUEIRA[155] plantean como alternativa que al igual que se establece para los casos de IP por Enfermedad Profesional la Entidad Gestora pueda autorizar al trabajador la realización de ciertos trabajos compatibles con la percepción de la pensión de IPA. Por su parte, ROQUETA[156] indica que «la condición de inválido absoluto podría ser compatible con el desarrollo de actividades marginales y esporádicas, con independencia de que fuesen lucrativas o no, siempre que, en el supuesto de que lo fuesen, no superasen una determinada cuantía, que podrá ser distinta en función de la capacidad económica del beneficiario y des sus cargas familiares. Y, si el inválido absoluto, realiza una actividad retribuida que no revista aquellas notas de marginalidad y ocasionalidad, compatible con su estado, la pensión debería situarse en la cuantía resultante de aplicar a la base reguladora el porcentaje correspondiente a la IPT, recuperando la pensión originaria cuando cesara la actividad. En todo caso, como quiera que la realización de trabajos por los inválidos puede poner

---

1.193, cuando indican «los Centros Especiales de Empleo han servido para acreditar la capacidad de los trabajadores discapacitados para integrarse en un sistema productivo en estos Centros que, en la práctica, se han asemejado mucho a las empresas ordinarias», p. 1.149. Sobre los Centros Especiales de Empleo vid. por su visión práctica LALOMA GARCÍA, M., *Empleo protegido en España. Análisis de la normativa legal y logros alcanzados*, Ediciones Cinca, Madrid, 2007.

155. LÓPEZ-TARRUELLA, F., y VIQUEIRA, C., *El trabajo del inválido permanente absoluto...*, cit., pp. 97-98.

156. ROQUETA BUJ, R., «Las últimas reformas en materia de incapacidad permanente: logros e insuficiencias», *Relaciones Laborales*, 21, 2000.

en peligro su propia salud y que ésta, al igual que otras situaciones de necesidad, debe ser protegida por los poderes públicos, a tenor del art. 43 CE, debería arbitrarse algún mecanismo similar al establecido con respecto a la IP derivada de enfermedad profesional, esto es, imponer la necesidad de autorización de la entidad gestora para poder realizar cualquier trabajo». Como se puede observar en ambas posturas doctrinales hay un punto de coincidencia con la necesidad de una actuación más activa y de autorización de la entidad gestora de la Seguridad Social de los nuevos trabajos del declarado de IPA, cuestión que compartimos como vamos a ver seguidamente.

Desde nuestro punto de vista abogamos por una mejora en la redacción del artículo 198.2 LGSS que vaya en la línea de posibilitar la inserción laboral del declarado en IPA pero sin confundir esta prestación con la IPT. Dos serían las posibilidades concretas:

1. Por un lado, entendemos que la Entidad Gestora de la Seguridad Social no debe limitarse a un papel reactivo de examinar si un posterior trabajo que ya está ejerciendo el trabajador es compatible con la IPA que percibe, sino que debe asumir un rol proactivo en el cual no sólo dictamine la condición de persona afecta de una IPA sino indique qué tipos de ocupaciones o profesiones podría realizar el afectado siendo compatibles con su estado y que permitirán, al menos temporalmente, la percepción conjunta de pensión de IPA y sueldo. Incluso se podría pensar que podría realizar la misma actividad que vendría desempeñando pero siempre que precisase una serie de apoyos que sólo en los Centros Especiales de Empleo podría llegar a dispensarse. Por tanto, lo que se propone es que al igual que en la declaración de discapacidad el órgano evaluador no sólo enjuicie el grado de discapacidad sino que trate también de dictaminar las capacidades que atesora la persona a la que se le declara una discapacidad[157], el Equipo de Valoración de Incapacidades también pueda reconocer aquellas profesiones que, en teoría, podría realizar el declarado en IPA sin modificar su estado y sin precisar revisión de dicha prestación.

Del mismo modo que el EVI se apoya en un dictamen-propuesta elaborado por un equipo multidisciplinar, para la realización de tal juicio de potenciales ocupaciones compatibles con el estado del declarado en IPA, los EVI deben basarse en informes realizados por equipos o técnicos de apoyo a la inserción laboral de centros públicos de empleo o de los Centros Base. Podrían además aportarse

---

157. Vid., al respecto, el artículo 12.3.a) LGD.

otros informes de entidades privadas sin ánimo de lucro que son frecuentes en la realidad empresarial española para el apoyo a la integración laboral de PCD. En concreto, para el colectivo protagonista de este estudio, las PCDM, los Centros de Rehabilitación Laboral (o como se denomine en cada Comunidad Autónoma) serían los equipos idóneos para realizar este tipo de informes técnicos en los cuales se puedan identificar los posibles puestos de trabajo u ocupaciones que pueden ser más idóneos para el trabajador con discapacidad mental afecto de una IPA.

La elaboración por parte de la Entidad Gestora de este informe de puestos compatibles es posible que se realice con posterioridad a la declaración de IPA del trabajador. Es más, ello debería ser lo lógico si se piensa en la situación de una persona que está trabajando, cae enferma y como consecuencia de ello es declarada en IPA. A partir de ese momento y para evitar su desenganche del mundo laboral, se empezaría a trabajar para ver qué ocupaciones podría desempeñar o dónde debería realizarlas si se piensa que podría desempeñar la misma ocupación pero sólo, al menos temporalmente, con los apoyos de un Centro Especial de Empleo.

Este papel más proactivo y en alguna medida creador de la Entidad Gestora de la Seguridad Social ya fue criticado en alguna medida por alguna doctrina autorizada[158], pero es demandado por las PCDM y por los equipos de apoyo a la inserción laboral que están trabajando para la vuelta al mundo productivo del declarado en IPA. Tal dictamen de ocupaciones compatibles con la pensión de IPA daría seguridad jurídica y posibilitaría el reenganche al trabajo y evitaría la desmotivación laboral de quien se sabe que tiene unas limitaciones importantes para realizar un empleo pero que aún detenta suficientes capacidades para realizar alguna ocupación por la cual pueda recibir una remuneración y aportar, en forma de nuevas cotizaciones y nuevos impuestos, al sostenimiento del Sistema de Protección Social que le está sosteniendo.

2. Por otro lado y además de la anterior medida, consideramos que debe mejorarse el artículo 198.2 LGSS con una redacción de compa-

---

158. ESTEBAN LEGARRETA, R., *Contrato de Trabajo y discapacidad*, cit., pp. 255-256, pone de relieve la posible «falta de agilidad en los trámites o bien la excesiva rigidez de la entidad gestora, que podría provocar una clara desincentivación previa a la inserción de las personas con discapacidad». No obstante, afirma que «en cualquier caso, las líneas de reforma van en esta dirección» con el visto bueno previo del Director General de la correspondiente entidad gestora para los casos de trabajo de pensionistas de IPT o IPA.

tibilidad pensión-trabajo menos confusa. En línea con la Estrategia de la Unión Europea de Inclusión Activa de Personas en riesgo de exclusión social ya aludida en varios puntos de este trabajo[159], que promueve el tránsito hacia la reincorporación laboral permitiendo que se solape la percepción de rentas del trabajo y prestaciones sociales públicas, la IPA debería tener un tiempo en el cual sea plenamente compatible con la remuneración salarial, siempre que ésta no supere una determinada cantidad de dinero, para evitar la no deseada «hiperprotección económica» antes aludida.

En concreto, se apuesta por una regulación de la pensión de IPA que tenga en cuenta el tiempo que el trabajador declarado en esta contingencia lleve fuera del mundo laboral pues tal como indica CABRA DE LUNA «el tiempo en que una persona está en paro juega en su contra, por lo que merece la pena centrarse en evitar las situaciones de desempleo de larga duración»[160]. Si éste es superior a un año, la pensión de IPA debería ser compatible durante un cierto tiempo, entre uno y dos años, con todo salario que sea menor a una cantidad que se estime adecuada y mínima para una vida digna, en la cual se debería tener en cuenta algunas circunstancias personales y familiares que ya se contemplan en otras prestaciones públicas contributivas como las del desempleo (se podría equiparar esta remuneración a las prestaciones mínimas y máximas de la prestación por desempleo). Si el salario de la nueva actividad laboral del trabajador afecto de IPA es mayor a esta cantidad antedicha, se produciría la suspensión automática de la pensión de IPA que se recuperaría inmediatamente en caso de pérdida del puesto de trabajo por la razón que fuera y tras el cobro de la posible prestación por desempleo que le pudiera corresponder al trabajador.

Por el contrario, si el trabajador lleva menos de un año desde que se le declaró la IPA, se considera que su situación es diferente pues no se ha llegado a desenganchar efectivamente del mundo laboral y, por ello, sería suficiente la protección consistente en la suspensión

---

159. Vid. el apartado en el que tratamos el Concepto de Protección Social.
160. Entrevista en Europa Press Social (epsocial), 13 de marzo de 2014, valorando el estudio «El empleo de las personas vulnerables: una inversión social rentable», realizado por Cáritas, Cruz Roja, Fundación Once y Secretariado Gitano y publicado por el Fondo Social Europeo en colaboración con el Ministerio de Empleo y Seguridad Social en 2013. Versión descargable en las páginas Web de cada una de estas cuatro instituciones. Entre ellas, *http://www.fundaciononce.es/ES/Publicaciones/Paginas/Biblioteca.aspx.*

automática de la pensión de IPA que se recuperaría de forma instantánea en caso de pérdida del trabajo.

En todo caso, pasado el tiempo de compatibilidad pensión-trabajo que, como se dijo estaría entre uno y dos año, o un cierto tiempo de la suspensión de la IPA que también podría pensarse que fuera mínimo un año y un máximo de dos, el EVI debería realizar una nueva evaluación del trabajador y determinar lo que a su entender procediera: si sigue en IPA o si se revisa esta pensión. En esta nueva evaluación los EVI deberían tener en cuenta, entre otras cuestiones, si el trabajador está realizando su actividad productiva en un CEE y si sólo la puede llevar a cabo en éstos, cuestión que apuntará desde nuestro punto de vista a la necesidad de una cierta compatibilidad entre el sueldo con alguna prestación pública siendo lo más idóneo que se determine que ésta debe suspenderse de modo permanente para que pueda percibirse de manera automática para el supuesto de que la PCDM pierda el empleo y tras las prestaciones contributivas de desempleo que en su caso le pudieran corresponder.

Con esta regulación se conseguiría incentivar el retorno al mundo laboral del declarado en IPA y, a su vez, tener en cuenta como suele ser lo habitual si la declaración de la IPA le ha conllevado a la persona un alejamiento tal del mundo laboral que requiere la adopción de medidas de apoyo concretas como es la compatibilidad entre trabajo-pensión que no deja de ser la excepción a la regla general de incompatibilidad de la pensión con el sueldo dado que se habría modificado el estado de necesidad que dio origen a la prestación pública.

Conclusiones

«Los problemas más graves que aparecen en nuestras sociedades desarrolladas y con elevado grado de bienestar provienen del hecho de que existen un sector de la población cada vez más numeroso que se queda al margen del universo de la mayoría»

(AA.VV., «Introducción», *El neoliberalismo en cuestión*, Cristianisme i Justicia/Sal Terrae, Barcelona/Santander, 1993, p. 15).

A modo de resumen, se pueden establecer las principales conclusiones y aportaciones del presente trabajo:

PRIMERA. El término discapacidad mental deviene de la propia Convención de la ONU. Se ha elegido sobre las otras posibles formas de denominación de este colectivo (discapacidad por enfermedad mental o por trastorno mental o psiquiátrica) y se debe popularizar su utilización. Su traslación a nuestra legislación interna a través de la modificación del artículo 1.2 de la LIONDAU y refundido en el art. 2.a) LGD, ha tenido como primer efecto la división, por fin, de la acepción «psíquica», que estaba en todos los textos normativos de nuestro ordenamiento jurídico comenzando por el artículo 49 CE, en sus dos componentes de «mental» e «intelectual». Asimismo, tal modificación legal debe tener otras consecuencias para la visibilización del colectivo: establecimiento de un tipo concreto en el reconocimiento del grado de discapacidad que ayudará a saber cuántas PCD mental existen, tener estadísticas propias separadas de la discapacidad intelectual y establecerse como colectivo específico en «El perfil de la discapacidad España» indicado en la Estrategia Española sobre discapacidad 2012-2020.

SEGUNDA. Si bien es cierto que existen múltiples colectivos de personas a los que les cuesta la inclusión laboral, las PCDM presentan unas específicas y mayores dificultades que el resto de aquéllos para su incorporación en el mundo del trabajo. En efecto, existen razones relacionadas con la propia enfermedad, sobre todo el impacto en su historia formativo-laboral, imprescindible en una economía como la actual basada en el conocimiento y la innovación; también los efectos secundarios del tratamiento médico o la atención social de este colectivo que es muy deficitaria para lograr su inserción laboral son cuestiones concretas de las PCDM y, por último, barreras sociales (estigma) y familiares (miedo a perder pensión) que hacen que las tasas de actividad y de incorporación y mantenimiento del empleo de este colectivo sean verdaderamente pobres.

Por otro lado, existen evidencias científicas tanto de los beneficios del trabajo para la evolución de la enfermedad mental grave, como de los principales apoyos que precisan para su inserción laboral exitosa, cuestiones que se han desarrollado durante la obra.

TERCERA. Dado que la piedra angular del concepto de discapacidad son las barreras sociales existentes para con las personas que presentan algún tipo de limitación o deficiencia física, mental, sensorial o intelectual y, en esta misma línea, su necesidad de apoyos para superar dichos obstáculos que les permita poder llevar una vida lo más normalizada posible, equiparándola al resto de personas de la sociedad se ha realizado el análisis de la naturaleza jurídica de estas medidas de apoyo que en nuestros ordenamientos jurídicos español y europeo, dentro del modelo de Estado Social (arts. 1.1 y 9.2 CE), se han venido concretando en medidas de igualdad de oportunidades y de resultado, no discriminación, acción positiva y ajustes razonables. Se trata, pues, de adoptar las medidas pertinentes para conseguir la igualdad de oportunidades real y efectiva y, más aún, para los supuestos que ello incluso no sea suficiente para la equiparación sustancial de ciertos colectivos históricamente discriminados o segregados, como es el caso del compuesto por las PCD, un derecho de acción positiva y de discriminación «inversa» e, incluso, de igualación material caso por caso (ajustes razonables).

Sobre las medidas antidiscriminatorias para conseguir la igualdad de oportunidades, se postula que igual que ocurre a día de hoy con la protección de la mujer embarazada, se consiga el mismo amparo para las PCD y se establezca una medida como discriminatoria indirectamente por el simple hecho del impacto negativo estadísticamente hablando de la misma.

CUARTA. En relación a la Protección Social de las PCDM que se encuentran en fase de recuperación o rehabilitación para el empleo existen varias prestaciones y ayudas económicas previstas. Unas se encuentran dentro del campo de aplicación del Sistema de Seguridad y otras son externas a éste. Se ha realizado un análisis de las mismas para comprobar en qué medida cumplen con las premisas de la Estrategia de Inclusión Activa de la Unión Europea. Sería recomendable una regulación legal estatal que promueva y exija la coordinación permanente entre las distintas prestaciones económicas de las diferentes Administraciones Públicas dentro del Marco de un Sistema de Protección Social para evitar situaciones de desprotección pero sin llegar a ocasionar la sobreprotección que impida la inclusión activa. Por ello, esta regulación legal deberá establecer que el objetivo de dicho Sistema debe ser posibilitar la inserción social a través de la obtención de un trabajo y todas las medidas de protección social (económicas y técnicas) deben ir encaminadas a conseguir esta finalidad.

QUINTA. Por lo que respecta a las prestaciones económicas para PCDM que están fuera del Sistema de Seguridad Social, son básicamente las ayudas económicas dictadas por las Comunidades Autónomas dentro de sus competencias de Servicios Sociales pues de las prestaciones establecidas por la LISMI y ahora refundidas en la LGD, dos subsidios ya están suprimidos y el tercero, el de movilidad y compensación por gastos de transporte, no está diseñado específicamente para el colectivo de PCDM.

En relación a las ayudas económicas previstas por las CC.AA. antes indicadas, la valoración general es muy positiva porque son las únicas medidas prestacionales específicamente previstas para la situación de las PCDM que se encuentran en fase de recuperación para el empleo y tienen como objetivo conseguir que este colectivo se incorpore y se mantengan en dichos programas de reinserción laboral. Ahora bien, se propone las siguientes mejoras en su regulación:

a) Sería deseable una regulación nacional por parte del Estado, para que la atención social del colectivo no dependa del lugar de nacimiento y/o residencia. Para ello, se propone una regulación estatal, como la establecida por la Ley de Dependencia, con base como mínimo en la habilitación constitucional del art. 149.1.1ª CE.

b) Se precisa aumentar la dotación económica de las ayudas para, por un lado, poder cubrir el alojamiento, manutención y transporte de las PCDM incorporadas a procesos de recuperación y, por otro, incrementar la cuantía de la ayuda en función de circunstancias personales, familiares y del itinerario de inserción laboral (específicamente su incorporación a un proceso formativo).

c) Se debe posibilitar en mayor medida la compatibilidad con un empleo, sobre todo para los casos en que la PCDM se incardine en un programa específico de recuperación para el empleo.

SEXTA. Otros dos temas han sido estudiados como son, por un lado, la Incapacidad Temporal (IT) de las PCDM y, por otro, la compatibilidad de la Incapacidad Permanente Absoluta (IPA) y el empleo, dado que en ambos casos requiere que la regulación jurídica actual pueda revisarse para tener en cuenta los apoyos necesarios que precisan las Personas con discapacidad Mental.

En relación al primero de los temas expuestos, se ha analizado la contingencia de Incapacidad Temporal dado que es una situación que puede afectar en mayor medida a las PCD y, en especial a las que presentan una discapacidad mental y, por ello, puede ser un escollo importante tanto para que las empresas apuesten por la contratación de este colectivo como para que el trabajador se anime a la búsqueda de un empleo y lo prefiera a la tranquilidad de una prestación social pública. En este sentido, han sido dos los temas estudiados en esta contingencia. Por un lado, que cuando la IT supere un determinado tiempo, sea necesario compatibilizar la prestación económica con el acceso a un Centro de Rehabilitación Laboral o como se denomine en cada Comunidad Autónoma (Centros de Servicios Sociales Especializados específicamente diseñados para PCDM con equipos Multiprofesionales que trabajan itinerarios individualizados de inserción laboral para este colectivo). Y, por otro, tres aspectos concretos del Proceso de Incapacidad Permanente para adecuarse a las necesidades de las PCDM: 1) necesidad de personal especializado en trastornos mentales en el Tribunal que califique la IP; 2) la exigencia de informes del equipo de Servicios Sociales especializado en empleo que, en su caso, esté interviniendo con el TCDM, y 3) que la suspensión prevista en el art. 48.2 ET sea la regla general y no se extinga el contrato de trabajo de los TCDM.

SÉPTIMA. Por último, en relación a la IPA, tras estudiar las diferentes tesis jurisprudenciales sobre la compatibilidad entre esta pensión y el empleo, se ha hecho una propuesta de regulación basándose en dos premisas: tiempo desde que se abandonó el mundo laboral (esto es, si pasa más de un año desde que la PCDM es declarada en IPA deben establecerse medidas suplementarias) y, por otro, tiempo de duración del contrato de trabajo (diferenciando entre los contratos de menos de un año con aquellos bien indefinidos, bien que se prevea que van a durar más de un año) y, en todo caso, que se establezca la suspensión de la prestación y su posible vuelta al disfrute de la misma si se pierde el empleo durante el primer o segundo año de la relación laboral.

Anexo I. Baremo de valoración de la discapacidad por enfermedad mental

(Real Decreto 1971/1999, de 23 de diciembre, de procedimiento para el reconocimiento, declaración y calificación del grado de discapacidad. Introducido por Corrección de errores en el BOE de 13/03/2000). Síntesis de elaboración propia.

CLASE DE DISCAPACIDAD	DESCRIPCIÓN FUNCIONAMIENTO	DIAGNÓSTICO CLÍNICO	
CLASE I (0%)	Presenta sintomatología psicopatológica aislada, que no supone disminución alguna de su capacidad funcional.	Cualquier trastorno mental de las cinco categorías en las que se clasifican, ya sea orgánico; esquizofrenia y trastornos paranoides; trastornos afectivos; trastornos de ansiedad, adaptativos y somatomorfos y trastornos de la personalidad.	
CLASE II: DISCAPACIDAD LEVE (1-24%)	A) La capacidad para llevar a cabo una vida autónoma está conservada o levemente disminuida, de acuerdo a lo esperable para un individuo de su edad y condición, excepto en períodos recortados de crisis o descompensación. B) Pueden mantener una actividad laboral normalizada y productiva excepto en los períodos de importante aumento del estrés psicosocial o descompensación, durante los que puede ser necesario un tiempo de reposo laboral junto a una intervención terapéutica adecuada.	Trastornos mentales orgánicos	Cumplen con los criterios para el diagnóstico de trastorno orgánico de la personalidad; síndrome post-conmocional u otros trastornos mentales orgánicos.
		Esquizofrenia y trastornos paranoides	Cumplen con los criterios para el diagnóstico de esquizofrenia de cualquier tipo o trastorno paranoide.
		Trastornos afectivos	Cumplen los criterios de diagnóstico para cualquier tipo de trastorno afectivo.
		Trastornos de ansiedad, adaptativos y somatomorfos	Presencia de criterios de diagnóstico suficientes para cualquiera de los tipos de trastornos de ansiedad, adaptativos o somatomorfos.
		Trastornos de personalidad	Presencia de criterios de diagnóstico para cualquiera de los tipos de trastorno de la personalidad.

CLASE DE DISCAPACIDAD	DESCRIPCIÓN FUNCIONAMIENTO	DIAGNÓSTICO CLÍNICO	
CLASE III: DISCA-PACIDAD MODERA-DA (25-59%)	A) Restricción moderada en las actividades de la vida cotidiana (incluyendo los contactos sociales) y en la capacidad para desempeñar un trabajo remunerado en el mercado laboral. La medicación y/o el tratamiento «pueden ser necesarios de forma habitual». Si, a pesar de ello, persiste la sintomatología clínicamente evidente: Que «interfiere notablemente en las actividades de la persona»: Se asignará un porcentaje de discapacidad comprendido entre el 45 y 59%. Que «no interfiere notablemente en las persona»: Se asignará un porcentaje de discapacidad comprendido entre el 25 y 44%. B) Las dificultades y síntomas pueden agudizarse en períodos de crisis o descompensación. Fuera de los períodos de crisis: El individuo es capaz de desarrollar una actividad laboral normalizada y productiva la mayor parte del tiempo, con supervisión y ayuda: Se asignará un porcentaje de discapacidad comprendido entre el 25 y 45%. El individuo sólo puede trabajar en ambientes laborales protegidos con supervisión mínima: Se asignará un porcentaje de discapacidad comprendido entre el 45 y el 59%.	Trastornos mentales orgánicos	Trastornos volitivos: Inconstancia, abulia. Labilidad emocional, cambios de humor.
		Esquizofrenia y trastornos paranoides	Persistencia de síntomas psicóticos por más de medio año. Dificultad marcada en la relación interpersonal o actitudes autistas.
		Trastornos afectivos	Episodios maníacos recurrentes; Depresión mayor de evolución crónica (más de dieciocho meses sin remisión). Mala respuesta a los tratamientos. Trastorno bipolar con recaídas frecuentes que requieran tratamiento. Como posible orientación: más de dos al año, más de cinco en los últimos tres años, más de ocho en los últimos cinco años... Depresión recurrente (incluso breve) con tentativas de suicidio. Presencia de síntomas psicóticos.
		Trastornos de ansiedad, adaptativos y somatomorfos	Cuadros que presentan crisis que requieren ingreso para su hospitalización. Grave alteración en la capacidad de relación interpersonal y comunicación.
		Trastornos de personalidad	Cumplir criterios para el diagnóstico.

CLASE DE DISCAPACIDAD	DESCRIPCIÓN FUNCIONAMIENTO	DIAGNÓSTICO CLÍNICO	
CLASE IV: DISCA-PACIDAD GRAVE (60-74%)	A) Grave restricción de las actividades de la vida cotidiana (posibilidades de desplazarse, de preparar o ingerir los alimentos, de atender a su higiene personal y al vestido, de cuidar de su hábitat y realizar las tareas domésticas, de comunicarse y tener contactos sociales), lo que obliga a supervisión intermitente en ambientes protegidos y total fuera de ellos. B) Grave disminución de su capacidad laboral, puesta de manifiesto por deficiencias importantes en la capacidad para mantener la concentración, continuidad y ritmo en la ejecución de las tareas y repetidos episodios de deterioro o descompensación asociados a las actividades laborales, como consecuencia del proceso en adaptarse a circunstancias estresantes. No pueden mantener una actividad laboral normalizada y con dificultad en centros de Educación Especial. Puede acceder a centros y/o actividades ocupacionales, aunque, incluso con supervisión, el rendimiento suele ser pobre o irregular.	Trastornos mentales orgánicos	Presencia de alguno de los siguientes síntomas: Irritabilidad, ira inmotivada... Impulsividad con fallo en el autocontrol. Suspicacia y paranoidismo.
		Esquizofrenia y trastornos paranoides	Presencia de alguna de las características clínicas siguientes: Mala respuesta a los tratamientos con persistencia de la sintomatología. Necesidad permanente de tratamiento con internamientos reiterados. Asociaciones laxas de ideas, tendencia a la abstracción, apragmatismo. Síntomas alucinatorios y delirantes crónicos.
		Trastornos afectivos	Presencia de alguna de las siguientes características clínicas: Depresión mayor encronizada (más de tres años sin remisión apreciable). Trastorno bipolar resistente al tratamiento. Sintomatología psicótica crónica.
		Trastornos de ansiedad, adaptativos y somatomorfos	Presencia de alguna de las siguientes características clínicas: Cuadros con grave repercusión sobre la conducta y mala respuesta al tratamiento.
		Trastornos de personalidad	Trastornos de personalidad cuyas características clínicas reúnan alguno de los requisitos siguientes: Necesidad de internamiento. Graves trastornos en el control de impulsos. Alteraciones psicopatológicas permanentes y severas.

CLASE DE DISCAPACIDAD	DESCRIPCIÓN FUNCIONAMIENTO	DIAGNÓSTICO CLÍNICO	
CLASE V: DISCPACIDAD MUY GRAVE (75%)	A) Repercusión extrema de la enfermad o trastorno sobre el individuo, manifestado por incapacidad para cuidar de sí mismo ni siquiera en las actividades básicas de la vida cotidiana. Por ello, necesitan de otra u otras personas de forma constante. B) No existen posibilidades de realizar trabajo alguno, ni aun en centros ocupacionales supervisados.	Trastornos mentales orgánicos	Presencia de alguno de los siguientes síntomas: Alteración de la esfera instintivo-afectiva. Perseveración ideativa. Deterioro cognitivo
		Esquizofrenia y trastornos paranoides	Presencia de alguna de las siguientes características clínicas: Trastornos severos en el curso y/o contenido del pensamiento que afectan al sujeto la mayor parte del tiempo. Pérdida de contacto con la realidad. Trastornos disperceptivos permanentes. Institucionalización prolongada. Conductas disruptivas reiteradas
		Trastornos afectivos	Presencia de alguna de las características clínicas siguientes: Síntomas de depresión y/o manía (o hipomanía) constantes. Hospitalizaciones reiteradas por trastorno. Ausencia de recuperación en los períodos intercríticos.
		Trastornos de ansiedad, adaptativos y somatomorfos	Trastorno grave resistente por completo a todo tratamiento.
		Trastornos de personalidad	Presencia de perturbaciones profundas de la personalidad, que de modo precoz y con persistencia, produzcan sintomatología variada y severa, afectando los trastornos a las áreas instintiva y relacional.

Anexo II. Relación de sentencias citadas

I. TRIBUNAL DE JUSTICIA DE LA UNIÓN EUROPEA (STJUE)

- STJUE de 26 de febrero de 2015 (asunto Ingeniorforeningen i Danmark).
- STJUE de 26 de septiembre de 2013 [asunto HK Danmark (II)].
- STJUE de 17 de julio de 2008 (asunto Coleman).
- STJUE de 16 de octubre de 2007 (asunto Palacios de la Villa).
- STJUE de 17 de octubre de 1995 (asunto Kalanke).

II. TRIBUNAL CONSTITUCIONAL (STC)

- STC 205/2011, de 5 de diciembre (BOE de 11 de enero de 2012).
- STC 62/2008, de 26 de mayo.
- STC 214/2006, de 3 de julio.
- STC 196/2004, de 15 de noviembre.
- STC 161/2004, de 4 de octubre.
- STC 269/1994, de 3 de octubre.
- STC 13/1992, de 6 de febrero.
- STC 19/1988, de 16 de febrero.
- STC 76/1986, de 9 de junio.
- STC 98/1985, de 29 de julio.

III. TRIBUNAL SUPREMO, SALA 4.ª DE LO SOCIAL (STS)

- STS de 19 de marzo de 2013 (RJ 3055, 2013).
- STS de 14 de julio de 2010 (RJ 3531, 2009).

- STS de 22 de diciembre de 2009 (RJ 2066, 2009).
- STS de 1 de diciembre de 2009 (RJ 1674, 2008).
- STS de 23 de abril de 2009 (RJ 2512, 2008).
- STS de 14 de octubre de 2009 (RJ 3249, 2008).
- STS de 10 de noviembre de 2008 (RJ 56, 2008).
- STS de 30 de enero de 2008 Sala General (RJ 1849, 2008).
- STS u.d. de 29 de enero de 2001 (RJ 2069, 2001).
- STS de 16 de marzo de 1995, recurso 1699, 1993.
- STS de 14 de octubre de 1991 de la Sala General, recurso 344, 1991.
- STS de 19 de diciembre de 1988.
- STS de 13 de mayo de 1986.
- STS de 7 de julio de 1986.
- STS de 20 de diciembre de 1985.

IV. TRIBUNALES SUPERIORES DE JUSTICIA (STSJ)

- STSJ Castilla y León (Burgos) de 20 de abril de 2006 (AS 2006, 1155).
- STSJ Asturias, n.º 4.091/2003, de 19 de diciembre (JUR 2004, 68031).
- STSJ Madrid n.º 857/1998, de 3 de noviembre (AS 1998, 4117).

Anexo III. Bibliografía citada

AA.VV., *El Estado de bienestar en la encrucijada: nuevos retos ante la crisis global*, Federación de Cajas de Ahorros Vasco-Navarras, Vitoria-Gasteiz, 2011.

AA.VV., *Tratado sobre discapacidad*, DE LORENZO, R. M., y PÉREZ BUENO, L.C. (Dirs.), Thomson-Aranzadi, Navarra, 2007.

AA.VV., FERNÁNDEZ, C., (Coord.), *Guía de Productos de Apoyo para personas con trastorno mental*, versión electrónica accesible en: *http://www.fundacionmanantial.org/guia/guia.html*

AA.VV., «Introducción», *El neoliberalismo en cuestión*, Cristianisme i Justicia/Sal Terrae, Barcelona/Santander, 1993.

AA.VV., *Rehabilitación Laboral de Personas con Enfermedad Mental Crónica: programas básicos de intervención*, Cuadernos Técnicos de Servicios Sociales, Consejería de Servicios Sociales, Comunidad de Madrid, 2001.

ABRAMOVICH, V., y COURTIS, C., *Los derechos sociales como derechos exigibles*, Prólogo de Luigi Ferrajoli, Editorial Trotta, Madrid, 2002.

AGUDO, A., «Es trabajo, no beneficencia. Los programas de inserción laboral de colectivos vulnerables son claves para su proyecto de vida», Elpais.com, 2 de junio de 2014.

AGUILERA IZQUIERDO, R., BARRIOS BAUDIOR, G., y SÁNCHEZ-URÁN AZAÑA, Y., *Protección Social Complementaria*, Servicio de publicaciones de la Facultad de Derecho de la Universidad Complutense de Madrid, 2003.

ÁLAMO GONZÁLEZ, C., CUENCA FERNÁNDEZ, E., LÓPEZ MUÑOZ, F., y GARCÍA GARCÍA, P., «Neurolépticos y fármacos antipsicóticos. Aspectos farmacológicos de la evolución del tratamiento de la esquizofrenia», en CHINCHILLA MORENO, A., *Las esquizofrenias. Sus hechos y valores clínicos y terapéuticos*, Elsevier Doyma, Barcelona, 2007.

ALARCÓN CARACUEL, M. R., «Hacia el Derecho de la Protección Social», en LÓPEZ LÓPEZ, J. (Coord.), *Seguridad Social y Protección Social: temas de actualidad*, Marcial Pons, Madrid, 1996.

ALCOVER DE LA HERA, C. M., y PÉREZ TORRES, V., «Trabajadores con discapacidad: problemas, retos y principios de actuación en salud ocupacional», *Revista Medicina y Seguridad del Trabajo* (Internet), n.º 57, Suplemento 1, 2011, pp. 206-223.

ALEMÁN BRACHO, C., y ALONSO SECO, J. M., «Los sistemas de servicios sociales en las Leyes autonómicas de servicios sociales», *Revista Española del Derecho del Trabajo*, n.º 152, octubre-diciembre de 2011.

ALEMÁN BRACHO, C., ALONSO SECO, J. M., y GARCÍA SERRANO, M. *Servicios Sociales públicos*, Tecnos, Madrid, 2011.

ALONSO OLEA, M., y TORTUERO PLAZA, J. L., *Instituciones de Seguridad Social*, 16.ª edición, Civitas, Madrid, 1998.

ALONSO OLEA, M., «Cien años de Seguridad Social», *Papeles de Economía Española*, n.º 12-13, 1982.

ALONSO SECO, J. M., y GONZALO GONZÁLEZ, B., *La asistencia social y los servicios sociales en España*, 2.ª edición, Ministerio de la Presidencia, Boletín Oficial del Estado, Madrid, 2000.

ALONSO-OLEA GARCÍA, B., *El régimen jurídico de la protección social del minusválido*, Civitas, Madrid, 1997.

ALONSO-OLEA GARCÍA, B., LUCAS DURÁN, M., y MARTÍN DÉGANO, I., *La protección de las personas con discapacidad y en situación de dependencia en el Derecho de la Seguridad Social y en el Derecho Tributario*, Editorial Aranzadi Thomson Reuters, Cizur Menor (Navarra), 2009.

ALONSO-OLEA GARCÍA, B., y MEDINA GONZÁLEZ, S. en *Derecho de los Servicios Públicos Sociales*, Civitas-Thomson Reuters, Cizur Menor (Navarra), 2011.

ÁLVAREZ DE LA ROSA, J. M., *Invalidez Permanente y Seguridad Social*, Editorial Civitas, Madrid, 1982.

ÁLVAREZ RAMÍREZ, G. (Coord.), *2003-2012: 10 años de legislación sobre no discriminación de personas con discapacidad en España. Estudios en homenaje a Miguel Ángel Cabra de Luna*, Ediciones Cinca, Madrid, 2012.

ANTHONY, W., COHEN, M., y FARKAS, M., *Psychiatric rehabilitation*, Center for Psychiatric Rehabilitation, Boston, 1990.

ARISTÓTELES, *Obras de Aristóteles*, puestas en lengua castellana por D.

Patricio de Azcárate, Medina y Navarro, Editores, Madrid, 1873. Accesible en: *http://www.filosofia.org/cla/ari/azc01.htm*.

ASOCIACIÓN AMERICANA DE PSIQUIATRÍA. DSM-IV TR. Manual de Diagnóstico y estadístico de los trastornos mentales, Texto Revisado, Director de la edición española LÓPEZ-IBOR ALIÑO, J. J., Editorial Masson, Barcelona, 2003.

AUGUSTO COLIS, J., «Capítulo 3: problemática y dificultades para la inserción laboral de las personas con enfermedad mental crónica», en AA.VV, *Rehabilitación Laboral de Personas con Enfermedad Mental Crónica: programas básicos de intervención, Cuadernos Técnicos de Servicios Sociales*, Consejería de Servicios Sociales, Comunidad de Madrid, 2001.

AZNAR LÓPEZ, M., y OSUNA NOVEL, C., «Antecedentes», en AA.VV., *10 años del Servicio Social de Minusválidos* (1972-1982), INSERSO, Madrid, 1983.

BALLESTER PASTOR, M. A., «La lucha contra la discriminación en la Unión Europea», en *Revista del Ministerio de Trabajo e inmigración*, número 92, 2011.

– *Diferencia y discriminación normativa por razón de sexo en el orden laboral*, Tirant lo Blanch, Valencia, 2004.

BAYLOS GRAU, A., «Igualdad, uniformidad y diferencia en el Derecho del Trabajo», Revista de Derecho Social, número 1, 1998.

BLANCO DE LA CALLE, A. «El enfermo mental con discapacidades psicosociales», en PASTOR, A., BLANCO, A., y NAVARRO, D., (Coords.), *Manual de rehabilitación del trastorno mental grave*, Síntesis, Madrid, 2010.

BLASCO LAHOZ, J. F., «La calificación y revisión del grado de discapacidad», Revista Aranzadi Social Doctrinal, 9, enero 2013.

– *Las prestaciones sanitarias, tras sus últimas reformas*, Editorial Bomarzo, Albacete, 2013.

– *Las Pensiones No Contributivas*, Tirant lo Blanch, Valencia, 2001.

BLASCO LAHOZ, J. F., y LÓPEZ GANDÍA, J. *Curso de Seguridad Social*, 4.ª edición, Tirant lo Blanch, Valencia, 2012.

BORRAJO DACRUZ, E., «De la Previsión Social a la Protección Social en España: bases histórico-institucionales hasta la Constitución», *Revista de Economía y Sociología del Trabajo*, núm. 3, marzo 1989.

CABRA DE LUNA, M. Á., «discapacidad y aspectos sociales: la igualdad de oportunidades, la no discriminación y la accesibilidad universal como ejes de una nueva política a favor de las personas con discapacidad y sus familias. Algunas consideraciones en materia de protección social», *Revista del Ministerio de Trabajo y Asuntos Sociales*, n.º 50, 2004.

- «Informe sobre contenidos más novedosos del Real Decreto Legislativo 1/2013, de 29 de noviembre, por el que se aprueba el Texto Refundido de la Ley General de derechos de las personas con discapacidad y de su inclusión social», Boletín Cermi.es, enero 2014.

- Entrevista publicada en Europa Press Social (epsocial), 13 de marzo de 2014.

CARDONA RUBERT, M. B. (Coord.), *Empleo y exclusión social: rentas mínimas y otros mecanismos de inserción sociolaboral*, Editorial Bomarzo, Albacete, 2008.

CÁRITAS, CRUZ ROJA, FUNDACIÓN ONCE Y SECRETARIADO GITANO, *El empleo de las personas vulnerables: una inversión social rentable*, publicado por el Fondo Social Europeo en colaboración con el Ministerio de Empleo y Seguridad Social, 2013. Versión descargable en: *http://www.fundaciononce.es/ES/Publicaciones/Paginas/Biblioteca.aspx*.

CARRERAS, P., «La adecuación de la formación y el empleo para personas con enfermedad mental», en *Revista de la Asociación Madrileña de Rehabilitación Psicosocial*, número monográfico de examen a la Rehabilitación Laboral, n.º 13, 2001.

CASAS BAAMONDE, M. E., «Prólogo», en AA.VV., *Tratado sobre discapacidad*, DE LORENZO, R., y PÉREZ BUENO, L. C. (Dirs.), Thomson-Aranzadi, Navarra, 2007.

CHARRO BAENA, P., y SAN MARTÍN MAZZUCCONI, C., «Decálogo jurisprudencial básico sobre igualdad y no discriminación en la relación laboral», en *Revista del Ministerio de Trabajo y Asuntos Sociales*, número Extra 3 igualdad, 2007.

COMISIÓN EUROPEA, Comunicación de la Comisión al Consejo, al Parlamento Europeo, al Comité Económico y Social y al Comité de las Regiones: Modernizar la protección social en aras de una mayor justicia social y una cohesión económica reforzada: promover la inclusión activa de las personas más alejadas del mercado laboral. COM (2007) 620 final. Disponible en: *http://eur-lex.europa.eu/legal-content/ES/TXT/?qid=1469108728000&uri=CELEX:52007DC0620*

- Comunicación de la Comisión al Consejo, al Parlamento Europeo, al Comité Económico y Social Europeo y al Comité de las Regiones relativa a una Recomendación de la Comisión sobre la inclusión activa de las personas excluidas del mercado laboral. COM/2008/0639 final. Disponible en: *http://eur-lex.europa.eu/legal-content/ES/TXT/?-qid=1469108728000&uri=CELEX:52008DC0639*

COMITÉ ESPAÑOL DE REPRESENTANTES DE PERSONAS CON DISCAPACIDAD, cermi.es, boletín semanal, n.º 88, 15/07/2013.

COMUNIDAD DE MADRID, Consejería de Asuntos Sociales, Red de Centros de Rehabilitación Laboral de la Comunidad de Madrid, accesible en: *http://www.madrid.org.*

– Sistema VOIL de Valoración de Orientación e Inserción Laboral para personas con discapacidad, accesible en: *http://www.madrid.org/cs/Satellite?c=CM_InfPractica_FA&cid=1142310100115&language=es&pagename=ComunidadMadrid%2FEstructura&pv=1354190551426.*

CONSEJO ECONÓMICO Y SOCIAL, *Informe sobre la pobreza y la exclusión social en España. Informe número 8*, Editorial CES, Madrid, 1996.

CORDERO GORDILLO, V., *La igualdad y no discriminación de las personas con discapacidad en el mercado de trabajo*, Editorial Tirant lo Blanch, Valencia, 2011.

DE ASÍS ROIG, R., y CUENCA GÓMEZ, P., «La igualdad de oportunidades de las personas con discapacidad», en VV.AA., PÉREZ BUENO, L. C. (Dir. y edición), ÁLVAREZ RAMÍREZ, G. (Coord.), *2003-2012: 10 años de legislación sobre no discriminación de personas con discapacidad en España. Estudios en homenaje a Miguel Ángel Cabra de Luna*, Ediciones Cinca, Madrid, 2012.

DE ASÍS, R., CAMPOY, I., y BENGOECHEA, M.ª. Á., «Derecho a la igualdad y a la diferencia: Análisis de los principios de no discriminación, diversidad y acción positiva», en DE LORENZO, R., y PÉREZ BUENO, L. C. (Dirs.), *Tratado sobre discapacidad*, Thomson-Aranzadi, Navarra, 2007.

DE FLORES, T., SOTO, A., y SÁNCHEZ, C., *Trastorno límite de la personalidad a la búsqueda del equilibrio emocional. Una guía para profesionales, familias y pacientes*, Morales y Torres Editores, sin fecha.

DE FUENTES GARCÍA-ROMERO DE TEJADA, C., «Proyecto europeo de inclusión activa de jóvenes con discapacidad. Valoración desde un Centro de Rehabilitación Laboral para personas con Enfermedad Mental Grave», *Revista Española del Tercer Sector*, n.º 22, septiembre-diciembre 2012.

DE FUENTES G.ª-ROMERO DE TEJADA, C., y RODRÍGUEZ DE VELAS-

CO, M., «Los procesos de búsqueda de empleo», en SÁNCHEZ RO-DRÍGUEZ, Ó. (Coord.), *Desarrollo profesional e inserción laboral en personas con enfermedad mental*, Editorial Grupo 5, Madrid, 2012.

DE LA VILLA GIL, «El modelo constitucional de Protección Social», en SEMPERE NAVARRO, A. V. (Dir.) y MARTÍN JIMÉNEZ, R. (Coord.), *El modelo social en la Constitución Española de 1978*, Ministerio de Trabajo y Asuntos Sociales, Madrid, 2003.

DE LA VILLA GIL, L. E., «Prólogo» al libro de LÓPEZ-TARRUELLA, F., y VIQUEIRA PÉREZ, C., *El trabajo del inválido permanente absoluto. Compatibilidad de la pensión en el nivel contributivo y no contributivo»*, Editorial Civitas, Madrid, 1991.

DE LORENZO GARCÍA, R., y CABRA DE LUNA, M. Á., «El empleo de las personas con discapacidad, en DE LORENZO, R., y PÉREZ BUE-NO, L. C. (Dirs.), *Tratado sobre discapacidad*, Thomson-Aranzadi, Navarra, 2007.

DESVIAT MUÑOZ, M., «El devenir de la reforma psiquiátrica», en PASTOR, A., BLANCO, A., y NAVARRO, D., (Coords.), *Manual de rehabilitación del trastorno mental grave*, Editorial Síntesis, Madrid, 2010.

DESVIAT, M., *De locos a enfermos. De la psiquiatría del manicomio a la salud mental comunitaria*, Ayuntamiento de Leganés, Leganés (Madrid), 2007.

ELS, C., KUNYK, D., HOFFMAN, H., y WARGON, A., «Workplace Functional Impairment Due to Mental Disorders», en Mental Illnesses – Understanding, Prediction and Control, Prof. Luciano Labate (Ed.), InTech, 2012, accesible en línea en: *http://www.intechopen.com/books/mental-illnessesunderstanding-prediction-and-control/workplace-functional-impairment-due-to-mental-disorders*

ESTEBAN LEGARRETA, R., *Derecho al Trabajo de las Personas con discapacidad*, Documentos 10/2003, Real Patronato sobre discapacidad, Ministerio de Trabajo y Asuntos Sociales, 5.ª edición, septiembre 2003.

– *Contrato de Trabajo y discapacidad*, Ibídem Ediciones, 1999.

ESTRATEGIA ESPAÑOLA DE DISCAPACIDAD 2012-2020, aprobada por el Consejo de Ministros de 14/10/2011, a propuesta de la Ministra de Sanidad, Política Social e Igualdad. Puede consultarse en: *http://sid.usal.es/libros/discapacidad/26112/8-4-1/estrategia-espanola-sobre-discapacidad-2012-2020.aspx*.

FABREGAT MONFORT, G., *Las medidas de acción positiva. La posibilidad de una tutela antidiscriminatoria*, Editorial Tirant lo Blanch, Valencia, 2009.

FARGAS FERNÁNDEZ, J., *Análisis crítico del Sistema español de Pensiones no contributivas*, Editorial Aranzadi, Cizur Menor (Navarra), 2002.

FERNÁNDEZ LÓPEZ, M. F., «Igualdad en el empleo y la ocupación», *Temas Laborales*, 2007, número 91.

– «Las causas de discriminación o la movilidad de un concepto», en AA.VV., (Coordinador GARCÍA MURCIA, J.), *Igualdad y no discriminación en el mundo laboral*, Consejo del Principado de Asturias. Consejería de Industria y Empleo, Oviedo, 2008.

FERNÁNDEZ-LOMANA GARCÍA, M., «Compatibilidad trabajo-pensión de incapacidad: evolución de la jurisprudencia del Tribunal Supremo», *Revista Actualidad Laboral*, número 2, febrero 2013.

GARCÍA MORILLO, J., «La cláusula general de igualdad», en AA.VV., *Derecho constitucional volumen I. El ordenamiento constitucional. Derechos y deberes de los ciudadanos*, Tirant lo Blanch, Valencia, 2003.

GARCÍA MURICA, J., y CASTRO ARGÜELLES, M. A. (Dirs.) y RODRÍGUEZ CARDO, I.A. (Documentación), *Legislación Histórica de Previsión Social*, Aranzadi-Thomson Reuters, Cizur Menor (Navarra), 2009.

GARCÍA QUIÑONES, J. C., «El concepto jurídico laboral de discapacitado», en VALDÉS DAL-RÉ (Dir.) y LAHERA FORTEZA, J. (Coord.), *Las relaciones laborales de las personas con discapacidad*, Biblioteca Nueva, Madrid, 2005.

GARCÍA VISO, M., e ÍÑIGUEZ DEL VAL, M., «Creación del Servicio Social de Recuperación y Rehabilitación de Minusválidos (1972-73)», en AA.VV., *10 años del Servicio Social de Minusválidos*, INSERSO, Madrid, 1983.

GARRIDO PÉREZ, E., «El tratamiento comunitario de la discapacidad: desde su consideración como anomalía social a la noción del derecho a la igualdad de oportunidades», Temas Laborales, n.º 59, 2001.

GETE CASTRILLO, P., «Sobre compatibilidad o incompatibilidad entre la pensión por invalidez permanente absoluta y trabajo afiliable a la Seguridad Social», *Revista de Seguridad Social y Sanidad*, VIII, número 3, 1979.

– *El nuevo Derecho Común de las pensiones públicas*, Lex Nova, Valladolid, 1997.

GIL y GIL, J. L., «Concepto de trabajo decente», *Revista Relaciones Laborales*, número 15-18, 2012.

GIMÉNEZ GLÜCK, D., «Estado social y acciones positivas: especial consideración de las personas mayores y de las personas con discapacidad», en DÍAZ PALAREA, M. D., y SANTANA VEGA, D. M. (coord.), *Marco jurídico y social de las personas mayores y de las personas con discapacidad*, Editorial Reus, Madrid, 2008.

- «La legislación y la jurisprudencia de la Unión Europea ante la multidiscriminación», en AA.VV., SERRA CRISTOBAL, R. (Coord.), *La discriminación múltiple en los Ordenamientos Jurídicos español y europeo*, Tirant lo Blanch, Valencia, 2013.

- *Juicio de igualdad y Tribunal Constitucional*, Bosch, Barcelona, 2004.

- *Una manifestación polémica del principio de igualdad. Acciones positivas y medidas de discriminación inversa*, Tirant lo Blanch, Valencia, 1999.

- *Una manifestación polémica del principio de igualdad: acciones positivas moderadas y medidas de discriminación inversa*, Tirant lo Blanch, Valencia, 1999.

GÓMEZ-MILLÁN HERENCIA, M. J., *Colectivos destinatarios de las políticas selectivas de empleo*, Ediciones Laborum, Murcia, 2011. Y, en fin, AA.VV., CACHÓN RODRÍGUEZ, L. (Dir.), *Colectivos desfavorecidos en el mercado de trabajo y políticas activas de empleo*, Colección Informes y Estudios, Serie Empleo, n.º 21, Ministerio de Trabajo y Asuntos Sociales, Madrid, 2004.

GONZÁLEZ CASES, J. C., *Violencia en la pareja hacia mujeres con trastorno mental grave*, Tesis Doctoral, Departamento de Especialidades Médicas de la Universidad de Alcalá, Madrid, 2011.

GOODWIN GREENWOOD, J., «History of disability as a legal construct», en DEMETER et al., *Disability evaluation*, Mosby-AMA, St. Louis (USA), 1996.

HENDERSON, M., et. al., «Work and common psychiatric disorders», J. R. Soc. Med., n.º 104, 2011, (versión electrónica).

HERNÁNDEZ LÓPEZ, J. M., *El Derecho a la Protección de Datos Personales en la doctrina del Tribunal Constitucional*, Thomson Reuters Aranzadi, Cizur Menor (Navarra), 2013.

IMSERSO, *Guía de Prestaciones para personas mayores, personas con discapacidad y personas en situación de dependencia*, edición 2013, Disponible en: *http://www.imserso.es/InterPresent1/groups/imserso/documents/binario/guiapresta2013.pdf*.

INSHT, *Salud mental y empleo. Cómo ayudar a las personas a mantener su tra-*

bajo. Guía para empleadores, 2012, Accesible en: *http://www.insht.es/PromocionSalud/Contenidos/Promocion%20Salud%20Trabajo/Ambitos/ficheros/SaludMental_Empleo_GuiaEmpleadores.pdf*.

INSTITUTO NACIONAL DE ESTADÍSTICA, *El empleo de las personas con discapacidad. Año 2014*, publicado en diciembre de 2015, accesible en: *http://www.ine.es*

- *El empleo de las personas con discapacidad. Año 2013*, publicado en diciembre de 2014, accesible en: *http://www.ine.es*

- *El empleo de las personas con discapacidad. Año 2012*, publicado en diciembre de 2013, accesible en: *http://www.ine.es*

- *El empleo de las personas con discapacidad 2008*, 2010, disponible en: *http://www.observatoriodeladiscapacidad.es/sites/default/files/Empleo_Personas_discapacidad_2010.pdf*.

JIMÉNEZ LARA, C., «Conceptos y tipologías de la discapacidad. Documentos y normativas de clasificación más relevantes», en DE LORENZO, R., y PÉREZ BUENO, L. C. (Dirs.), *Tratado sobre discapacidad*, Thomson-Aranzadi, Navarra, 2007.

LALOMA GARCÍA, M., *Empleo protegido en España. Análisis de la normativa legal y logros alcanzados*, Ediciones Cinca, Madrid, 2007.

LIBERMAN, R. P., y KOPELWICZ, A., «Un enfoque empírico de la recuperación de la esquizofrenia: definir la recuperación e identificar los factores que pueden facilitarla», en *Rehabilitación Psicosocial*, 1(1), 2004.

LÓPEZ ÁLVAREZ, M., LAVIANA CUETOS, M., y GONZÁLEZ ÁLVAREZ, S., «Rehabilitación laboral y programas de empleo», en PASTOR, A., BLANCO, A., y NAVARRO, D., (Coords.), *Manual de rehabilitación del trastorno mental grave*, Síntesis, Madrid, 2010.

LÓPEZ GANDÍA, J., y ROMERO RÓDENAS, M. J., *La Incapacidad Permanente: acción protectora, calificación y revisión*, Editorial Bomarzo, Albacete, 2011.

LÓPEZ GÓMEZ, A., y MORENO SANTIAGO, E., «Desarrollo profesional e inserción laboral en personas con trastornos de la personalidad», en SÁNCHEZ RODRÍGUEZ, Ó. (Coord.), *Desarrollo profesional e inserción laboral en personas con enfermedad mental*, Editorial Grupo 5, Madrid, 2012.

LÓPEZ-TARRUELLA, F., y VIQUEIRA PÉREZ, C., *El trabajo del inválido permanente absoluto. Compatibilidad de la pensión en el nivel contributivo y no contributivo*, Editorial Civitas, Madrid, 1991.

LOUSADA AROCHENA, J. F., «El principio de igualdad entre mujeres y hombres en la legislación española», texto on line, accesible en: *http://www.ugr.es/~filode/Articulo_Lousada_Arochena.pdf*.

MALDONADO MOLINA, J. A., *Génesis y evolución de la protección social por vejez en España*, Primer premio de investigación Centenario del Nacimiento de la Seguridad Social en España, Ministerio de Trabajo y Asuntos Sociales, Madrid, 2002.

MARTÍN VALVERDE, A., RODRÍGUEZ SAÑUDO, F., y GARCÍA MURCIA, J., *Derecho del Trabajo*, 21.ª edición, Editorial Tecnos, Madrid, 2012.

MARTÍNEZ-GIJÓN MACHUCA, M. A., *Protección Social, Seguridad Social y Asistencia Social. España y la Unión Europea*, Consejo Económico y Social, Madrid, 2005.

MARTÍNEZ-PUJALTE, A. L., y DE DOMINGO, T., *Los derechos fundamentales en el sistema constitucional. Teoría general e implicaciones prácticas*, Editorial Comares, Granada, 2011.

MARTÍNEZ-PUJALTE, A. L., *La garantía del contenido esencial de los derechos fundamentales*, prólogo de A. Ollero, Centro de Estudios Constitucionales, Madrid, 1997.

MELÉNDEZ MORILLO-VELARDE, L., «Sobre la preexistencia de lesiones y su compatibilidad con la declaración de la incapacidad permanente. El trabajo de los discapacitados», en RIVAS VALLEJO, P., y OTROS, *Tratado médico-legal sobre incapacidades laborales. La incapacidad permanente desde el punto de vista médico y jurídico*, segunda edición, Editorial Aranzadi, Cizur Menor (Navarra), 2008.

MONEREO PÉREZ, J. L., *Derechos Sociales de la Ciudadanía y Ordenamiento Laboral*, Consejo Económico y Social, Madrid, 1996.

MONEREO PÉREZ, J. L., y MOLINA NAVARRETE, C., *El derecho a la renta de inserción. Estudio de su régimen jurídico*, Editorial Comares, Granada, 1999.

MONTAGUT, T., *Política Social. Una introducción*, Editorial Ariel, Barcelona, 2000.

MONTOYA MELGAR, A. (Dir.), *La protección de las personas dependientes. Comentario a la Ley 39/2006, de promoción de la Autonomía Personal y Atención a las Personas en situación de Dependencia*, Thomson-Civitas, Pamplona, 2007.

– «El derecho a la no discriminación en el Estatuto de los Trabajadores», Documentación Laboral, n.º 7, 1983.

- «El principio de igualdad y no discriminación. Presentación general», en AA.VV. (GARCÍA MURCIA, J., Coordinador), *Igualdad y no discriminación en el mundo laboral*, Consejo del Principado de Asturias. Consejería de Industria y Empleo, Oviedo, 2008.

- «La Seguridad Social Española: notas para una aproximación histórica», *Revista de Trabajo*, n.º 54-55, 1976.

- Derecho del Trabajo, 35.ª edición, Tecnos, Madrid, 2014.

MORENO GENÉ, J. M., y ROMERO BURILLO, A. M., *El nuevo régimen jurídico de la Renta Activa de Inserción (A propósito del Real Decreto 1369/2006, de 24 de noviembre)*, Thomson/Aranzadi, Cizur Menor (Navarra), 2007.

MUÑIZ, E., y NICOLÁS, M., «Capítulo 12: intervención con familias en el proceso de rehabilitación laboral», *Rehabilitación Laboral de Personas con Enfermedad Mental Crónica: programas básicos de intervención*, Cuadernos Técnicos de Servicios Sociales, Consejería de Servicios Sociales, Comunidad de Madrid, 2001.

MUÑOZ LÓPEZ, M., PÉREZ SANTOS, E., y GUILLÉN, A. I., «El estigma de la enfermedad mental: definición e intervención», en PASTOR, A., BLANCO, A., y NAVARRO, D., (Coords.), *Manual de rehabilitación del trastorno mental grave*, Editorial Síntesis, Madrid, 2010.

NICOLÁS BERNAD, J. A., «El futuro del sistema de pensiones tras la Ley 27/2011: una reflexión crítica», en *Revista Relaciones Laborales*, número 9, 2012.

OIT, «La igualdad en el trabajo: afrontar los retos que se plantean», Informe global de seguimiento de la Declaración de la OIT relativa a los principios y derechos fundamentales en el trabajo, Editado por la propia OIT, Ginebra, 2007.

- *Gestión de las discapacidades en el lugar de trabajo. Repertorio de recomendaciones prácticas de la OIT*, Oficina Internacional del Trabajo, Ginebra, 2002, accesible en: *http://www.ilo.org*.

- *Lograr la igualdad de oportunidades en el empleo para las personas con discapacidades a través de la legislación: directrices*, Editorial Oficina Internacional del Trabajo, Ginebra, 2007.

OLARTE ENCABO, S., *Políticas de empleo y colectivos con especiales dificultades. La «subjetivación» de las políticas activas de empleo*, Thomson-Aranzadi, Cizur Menor (Navarra), 2008.

ORGANIZACIÓN MUNDIAL DE LA SALUD, CIE 10. *Trastornos mentales y del comportamiento: descripciones clínicas y pautas para el diagnóstico (10.ª rev.)*, Meditor, S.L., Madrid, 2004.

– *Mental Health: facing the challenges, building solutions*, 2005, accesible on line: *http://www.who.int*.

– «Carga mundial de trastornos mentales y necesidad de que el sector de la salud y el sector social respondan de modo integral y coordinado a escala de país», 65.ª Asamblea Mundial de la Salud, 25/05/2012, accesible en *http://apps.who.int/gb/ebwha/pdf_files/WHA65/A65_R4-sp.pdf*.

– «Salud mental: fortalecer nuestra respuesta», Nota descriptiva número 220, marzo de 2014, accesible en: *http://www.who.int/mediacentre/factsheets/fs220/es/*

– *Mental Health Atlas 2011*, Department of Mental Health and Substance Abuse, 2011, accesible en: *http://www.who.int/mediacentre/multimedia/podcasts/2011/mental_health_17102011/en/*

PARLAMENTO DE LA UNIÓN EUROPEA, Informe del Parlamento Europeo sobre la salud mental [2008/2209 (INI)], de 28 de enero de 2009.

PELLEGRINI SPANGENBERG, M., CAPUA, R. N., y SÁNCHEZ RODRÍGUEZ, Ó., «Desarrollo profesional en personas con trastornos psicóticos», en SÁNCHEZ RODRÍGUEZ, Ó. (Coord.), *Desarrollo profesional e inserción laboral en personas con enfermedad mental*, Editorial Grupo 5, Madrid, 2012.

PÉREZ BUENO, L. C. y DE LORENZO GARCÍA, R., «Los difusos límites de la discapacidad en el futuro. Hacia un nuevo estatuto de la discapacidad», en DE LORENZO, R., y PÉREZ BUENO, L. C. (Dirs.), *Tratado sobre discapacidad*, Thomson-Aranzadi, Navarra, 2007.

PÉREZ BUENO, L. C., «La configuración jurídica de los ajustes razonables», en AA.VV., PÉREZ BUENO, L. C. (Dir. y edición), ÁLVAREZ RAMÍREZ, G. (Coord.), *2003-2012: 10 años de legislación sobre no discriminación de personas con discapacidad en España. Estudios en homenaje a Miguel Ángel Cabra de Luna*, Ediciones Cinca, Madrid, 2012.

PÉREZ DE LOS COBOS ORIHUEL, F., «Capítulo III: La distribución de competencias entre el Estado y las Comunidades Autónomas en la Ley de Dependencia», en MONTOYA MELGAR, A. (Dir.), *La protección de las personas dependientes. Comentario a la Ley 39/2006, de promoción de la Autonomía Personal y Atención a las Personas en situación de Dependencia*, Thomson-Civitas, Pamplona, 2007.

QUINTANILLA NAVARRO, B., «Igualdad de trato y no discriminación en función de la discapacidad», en VALDÉS DAL-RÉ, F. (Dir.) y LAHERA FORTEZA, J. (Coord.), *Relaciones laborales de las personas con discapacidad*, Biblioteca Nueva, Madrid, 2005.

REAL ACADEMIA ESPAÑOLA, Diccionario, 22.ª edición, Espasa Calpe, 2001, 5.ª actualización de 2011, accesible en *http://www.rae.es*

REBOLLEDO MOLLER, S., y LOBATO RODRÍGUEZ, M. J., *Cómo afrontar la esquizofrenia. Una guía para familiares, cuidadores y personas afectadas*, Grupo Aula Médica, Madrid, 2005.

RIVAS VALLEJO, P., Y OTROS, *Tratado médico-legal sobre incapacidades laborales. La incapacidad permanente desde el punto de vista médico y jurídico*, segunda edición, Editorial Aranzadi, Cizur Menor (Navarra), 2008.

RODRÍGUEZ CABRERO, G., *El sector de la discapacidad: realidad, necesidades y retos de futuro. Análisis de la situación de la población con discapacidad y de las entidades del movimiento asociativo y aproximación a sus retos y necesidades en el horizonte de 2020*, Colección CERMI.es, promovido por Fundación ONCE, Grupo Editorial Cinca, S.A., Madrid, diciembre 2012.

– *Servicios Sociales y cohesión social*, Premio de Investigación del Consejo Económico y Social, CES, Madrid, 2011.

RODRÍGUEZ-ARANA MUÑOZ, J., *Nuevas claves del Estado del Bienestar. Hacia una Sociedad del Bienestar*, Editorial Comares, Granada, 1999.

RODRÍGUEZ-PIÑERO Y BRAVO-FERRER, M., y FERNÁNDEZ LÓPEZ, M. F., *Igualdad y discriminación*, Tecnos, Madrid, 1986.

ROJO CABEZUDO, R. M. (Dir.), *Patologías invalidantes y su aplicación práctica*, Centro de Documentación Judicial del Consejo General del Poder Judicial, Cuadernos de Derecho Judicial VII, 2004.

ROQUETA BUJ, R., «Las últimas reformas en materia de incapacidad permanente: logros e insuficiencias», *Relaciones Laborales*, 21, 2000.

RUBIO LLORENTE, F., «La igualdad en la jurisprudencia del Tribunal Constitucional. Introducción», en *Revista Española de Derecho Constitucional*, n.º 31.

RUIZ CASTILLO, M. M., *Igualdad y no discriminación. La proyección sobre el tratamiento laboral de la discapacidad*, Editorial Bomarzo, Albacete, 2010.

RUIZ MIGUEL, A., «Discriminación inversa e igualdad», en *El concepto de igualdad*, Editorial Pablo Iglesias, Madrid, 1994.

SÁEZ LARA, C., *Mujeres y mercado de trabajo: las discriminaciones directas e indirectas*, Consejo Económico y Social, Madrid, 1994.

SALANOVA, M., GRACIA, F. J., y PEIRÓ, J. M., «Significado del trabajo y valores laborales», en PEIRÓ, J. M., y PRIETO, F. (Eds.), *Tratado de Psicología del Trabajo. Vol. II: Aspectos psicosociales del trabajo*, Síntesis, Madrid, 1996.

SÁNCHEZ RODRÍGUEZ, D., y CASTELLANOS ALCÁZAR, L., «Ergonomía psicosocial. Adaptación de puestos de trabajo y sistemas de apoyo para trabajadores con enfermedad mental: empleo con apoyo», en SÁNCHEZ RODRÍGUEZ, Ó. (Coord.), *Desarrollo profesional e inserción laboral en personas con enfermedad mental*, Editorial Grupo 5, Madrid, 2012.

SÁNCHEZ RODRÍGUEZ, Ó., «Los procesos de orientación profesional en personas con enfermedad mental», en SÁNCHEZ RODRÍGUEZ, Ó. (Coord.), *Desarrollo profesional e inserción laboral en personas con enfermedad mental*, Editorial Grupo 5, Madrid, 2012.

SEMPERE NAVARRO, A. V., «El debate sobre incompatibilidad entre pensiones y trabajo productivo», en *Revista Aranzadi Social Doctrinal*, número 9, enero 2013.

SEMPERE NAVARRO, A. V., y BARRIOS BAUDIOR, G., *Las Pensiones No Contributivas*, Cuadernos de Aranzadi Social, n.º 6, Aranzadi Editorial, Navarra, 2001.

SEMPERE NAVARRO, A. V., y SAN MARTÍN MAZZUCCONI, C., «La política social (y el fondo social europeo)», en ÁLVAREZ CONDE, E. y GARRIDO MAYOL, V. (Dirs.) *Comentarios a la Constitución Europea. Libro III. Políticas Comunitarias y las finanzas de la Unión*, Tirant lo Blanch, Valencia, 2004.

SEMPERE NAVARRO, A.V., CANO GALÁN, Y., CHARRO BAENA, P., y SAN MARTÍN MAZZUCCONI, C. *Políticas sociolaborales*, Ediciones Laborum, 2003.

SOBRINO CALZADO, T., «La Inserción Laboral de la persona con Enfermedad Mental Crónica», en *Revista de la Asociación Madrileña de Rehabilitación Psicosocial, número monográfico de examen a la Rehabilitación Laboral*, n.º 13, 2001.

SUAY RINCÓN, J., *El principio de igualdad en la justicia constitucional*, Instituto de Estudios de Administración Local, Madrid, 1986.

TOMEI, M., «Análisis de los conceptos de discriminación y de igualdad en el trabajo», Revista Internacional del Trabajo, 2003, número 4.

TORRENTE GARI, S., *El trastorno mental como enfermedad común en la protección de la Incapacidad Permanente*, Editorial Bomarzo, Albacete, 2007.

TRISOTTI BERNAIN, C., *discapacidad en el empleo y en la ocupación: igualdad, no discriminación y acciones positivas en Europa*, texto on line, accesible en: *http://eprints.ucm.es/27465/*.

TUSET DEL PINO, P., *Cincuenta cuestiones básicas en materia de personas con discapacidad*, Grupo Difusión, Madrid, 2011.

– *La contratación de trabajadores minusválidos*, Aranzadi, Pamplona, 2000.

TUSSY FLORES, M., «Las políticas europeas contra la discriminación laboral de las personas con discapacidad», en AA.VV., PÉREZ BUENO, L. C. (Dir. y edición), ÁLVAREZ RAMÍREZ, G. (Coord.), *2003-2012: 10 años de legislación sobre no discriminación de personas con discapacidad en España. Estudios en homenaje a Miguel Ángel Cabra de Luna*, Ediciones Cinca, Madrid, 2012.

UNIÓN EUROPEA, *Active Inclusion of young people with disabilities or health problems. Briefing for National Correspondents*, 2010, Disponible en: *www.eurofound.europa.eu/docs/about/procurement/inclusion2010/specifications.doc*.

– *Libro Verde sobre igualdad y no discriminación en la Unión Europea ampliada*, Editorial Unión Europea, Luxemburgo, 2004.

VALDÉS ALONSO, A., *Despido y protección social del enfermo bipolar (Una contribución al estudio del impacto de la enfermedad mental en la relación laboral)*, Editorial Reus, Madrid, 2009.

VALDÉS DAL-RÉ, F., y LAHERA FORTEZA, J., «Introducción», en VALDÉS DAL-RÉ, F. (Dir.) y LAHERA FORTEZA, J. (Coord.), *Relaciones laborales de las personas con discapacidad*, Biblioteca Nueva, Madrid, 2005.

VALDÉS DAL-RÉ, F., «Del principio de igualdad formal al derecho material de no discriminación», en VALDÉS DAL-RÉ, F., y QUINTANILLA NAVARRO, M. (Dirs.), *Igualdad de género y relaciones laborales*, Editorial Ministerio de Trabajo e Inmigración-Fundación Francisco Largo Caballero, Madrid, 2008.

VALMORISCO PIZARRO, S., *Políticas públicas de rehabilitación laboral para personas con enfermedad mental. Los Centros de Rehabilitación Laboral*

(CRL) de la Comunidad de Madrid (2008-2012), Tesis Doctoral inédita, Getafe (Madrid), enero 2015.

VÁZQUEZ VALVERDE, C., y NIETO MORENO, M., «Rehabilitación en salud mental: viejos problemas y nuevas soluciones», en PASTOR, A., BLANCO, A., y NAVARRO, D., (Coords.), *Manual de rehabilitación del trastorno mental grave*, Editorial Síntesis, Madrid, 2010.

VELA TORRES, F. J., «La invalidez como causa de extinción del contrato de trabajo», en ROJO CABEZUDO, R. M. (Dir.), *Patologías invalidantes y su aplicación práctica*, Centro de Documentación Judicial del Consejo General del Poder Judicial, Cuadernos de Derecho Judicial VII, 2004.

YÁÑEZ SÁEZ, R., «La importancia del cumplimiento terapéutico en la esquizofrenia», en CHINCHILLA MORENO, A., *Las esquizofrenias. Sus hechos y valores clínicos y terapéuticos*, Elsevier Doyma, Barcelona, 2007.